庫

最後の瞬間のすごく大きな変化

グレイス・ペイリー
村上春樹訳

文藝春秋

ジェニー・ゴールドシュミットと
マイク・ケンプトンに

この本に登場する人物は、すべて私の頭の中で作られたものです。
ただし父親だけは別で、どのような物語の中に居をかまえていても、
彼は私の父である、医学博士にして、画家にしてストーリーテラー、
I・グッドサイドです。

G・P

目次

最後の瞬間のすごく大きな変化

Wants

必要な物

別れた夫と道で会った。私は新しくできた図書館の階段に座っていた。

ごきげんよう、我が人生、と私は声をかけた。私たちはその昔、二十七年間にわたって一緒に暮らしていた。だからそういう言い方をしてもかまわないだろうと思ったのだ。

何だって、と彼は言った。何の人生だって？ 僕をそういうのにひっぱりこまんでくれよな。

わかったわよ、と私は言った。根本的に意見が合わないんだもの、議論するだけ無駄というものだ。私は腰をあげて図書館の中に入った。そしていくら罰金を払えばいいのか訊いた。

三十二ドルちょうどです、と図書館員は言った。あなた、十八年も借りっぱなしだったんですよ。抗弁しなかった。私には時間の観念というものがない。私はそれらの本をずっと返しそびれていた。返さなくてはなと思ってはいた。しかも図書館はほんの二ブロック先にあったのだ。

前の夫が返却窓口までついてきた。図書館員がそれ以上何か言おうとするのを、彼は遮った。今になっていろいろと考えてみるにだな、と彼は言った、僕らの結婚生活がうまくいかなかったのは、君がバートラム夫婦を一度も夕食に呼ばなかったせいだと思うな。

それはあるかもね、と私は言った。でもね、よく思い出してちょうだいよね、だいいちに、あの金曜日の夜には私のお父さんの具合が悪くなった。それから子どもたちが生まれた。例の火曜日の会合に私が出席するようになった。そして戦争が始まっちゃった。そんなこんなで、ついつい疎遠になってしまったんじゃない。でも、そうね、あなたの言うとおりだわね。あの人たちを夕食に招待するべきだったわね。

私は図書館員に三十二ドルの小切手を渡す。彼女は小切手をとくに調べもせずに、即座に私の過去を帳消しにしてくれる。記録をきれいにしてくれる。市であれ州であれ、お役所と名のつくところでかくも迅速に物事が運ぶのは稀有な例である。

私は今返却したばかりのイーディス・ウォートンの二冊の本を、あらためてもう一度借りなおした。それらを読んだのはもうずっと前のことだし、読むにはいっそう時宜《じぎ》を得ているように思えたのだ。『歓楽の館』と『子どもたち』という二冊だった。そこには五十年前のニューヨークで、アメリカ人の生活が二十七年の間にどう変化したかが描かれている。

僕が今でもいい思い出として覚えてるのは朝ごはんのことだなと前の夫が言った。私はびっくりしてしまった。私たちは朝にはコーヒーしか飲まなかったからだ。それから台所の戸棚の裏に開いていた穴のことを思い出した。その穴は隣家に通じていた。隣の一家はいつも砂糖漬けベーコンを食べていた。それが私たちに、朝ごはんはすごく豪勢なものという感じを与えてくれたわけだが、でも私たち自身はおなかいっぱいで苦しくなるほど食べたことなんて一度もなかった。

あのころは私たちも貧乏だったから、と私は言った。

僕らが一度だって金持ちになったことあったかい、と彼が訊いた。

でも時がたって私たちの社会的責任が増すにつれて、生活に困るというようなことはなくなってきたでしょう、あなたはちゃんと不足なくお金を稼いでくれたわよ、と私は指摘した。子どもたちも年に四週キャンプに行けたわ、世間なみに。可愛い格好だったわ。人前に出して恥ずかしくないポンチョを着て、寝袋とブーツを持って。可愛い格好だったわ。家は冬にも暖かだったし、私たち真っ赤な色の素敵な枕やら何やら持っていたし。

僕はヨットが欲しかったんだ、と彼は言った。でも君ときたら何ひとつ欲しがらなかった。

まあそんなに不愉快そうな顔をしないで、と私は言った。今からでも遅くはないでしょうよ。

遅くなんかないさ、とものすごく不愉快そうに彼は言った。僕はヨットを一隻買おうかと思ってるんだ。いや、実を言うと、ツー・リガーの十八フィート級の頭金はもうあるんだ。今年は仕事がうまくいったし、来年はもっとよくなると思う。でも君のほうはもう遅いぜ。君はこれからもずっと、何かを欲しがるなんてことはないよ。

私たちは二十七年間一緒に暮らしたが、彼のやりくちはずっと同じだった。何かぽつんとひとこと意見を言う。その意見は、まるで水道屋の使う鋼索みたいに、耳から喉へ、心臓へと、もぞもぞ這ってくる。そして彼はさっとどこかに行ってしまう。そんなふうに私を配管用具で窒息させたまま。そのときも同じように、私は図書館の階段に腰を下ろし、彼はさっさとどこかに消えてしまった。

私は『歓楽の館』のページをぱらぱらと繰ってみた。でももう興味は湧いてこなかった。私は厳しい告発を受けたような気がした。でもまあたしかに、相手の言い分にも一理あった。私は何かが欲しいだの、何かがどうしても必要だのと口にすることはあまりない。しかし私にだって欲しいものや望むことはあるのだ。

たとえば私は別の人格に生まれかわりたい。私はこれらの二冊の本をちゃんと二週間以内に図書館に返却できるようなきちんとした女になりたい。私は学校制度を改革できたり、この愛《いと》しき都会の真っ只中が抱える諸問題について財政監査委員会で発言したりするくらいの、有力な市民になりたい。

私は子どもたちに約束したのだ。お前たちが大人になる前に戦争を終わらせてやるからね、と。

私は一人の相手と終生夫婦でありたいと望んでいた。前の夫とも、あるいは今の夫とも。どちらも一生かけてわたりあえるくらいしっかりした人物であった。そして、今になってみればわかることなのだが、人の生涯なんて、実はそれほど長い期間ではないのだ。そんな短い人生の中で相手の男の資質を知り尽くすことなんてできないし、あるいはまた相手の言い分の根底にたどりつくこともできやしないのだ。

つい今朝のこと、私はしばらく窓の外の町の様子を眺めていた。小さな鈴懸の並木がその生命のまっさかりを謳歌しているのが見えた。それは子どもたちの生まれる二年ばかり前に、市が将来のことを思って植えたものだった。

そうだ！　今日こそこの二冊の本を図書館に返しにいこう、と私は思ったのだ。そうですとも、いくら私だって――愛想の良いことで知られているこの私だって――誰かや何かにこづかれたり値踏みされたりしたときには、それなりに適切な行動に移ることくらいできるんだから。

Debts

負債

ある女性が今日電話をかけてきた。自分はファミリー・アーカイヴ（家族の記録資料）を保管しているのだ、と彼女は言った。私が作家だと誰かから聞いたのだ。彼女は、イディッシュ語劇の有名な改革者であり夢見る人でもあった自分の祖父について本を書きたいと思っており、それを私に手伝ってもらえないかと思っている。私は短篇をひとつ書くために、イディッシュ語劇についての手持ちの知識のすべてを注ぎこんでしまったし、それ以上の知識をまた頭に詰めこんで、もう一冊本を書くような時間の余裕はない。私はそう説明した。なにかを身につけてから、それを文章にするまでに、私の場合はすごく時間がかかる。彼女は利益を分配しようと申し出た。でもそういう問題ではない。利益配分のいかんを問わず、私が書くどのような文学形態にも、彼女のお祖父さんの生涯はうまく収まるまい。

翌日、友人のルチアと私はコーヒーを飲みながら、この女性について話をした。ルチアは私に説明してくれた。傑出した祖父やら叔父やらについてのファミリー・アーカイヴを手元に持っているというのは、あるいは文書ではなくてもいくつかの思い出話を持っているというのは、けっこうきついものなのだ。とくにその人が六十だか七十だかになっていて、身内にものを書ける人が一人もいなくて、子どもたちは自分の生活に追われて忙しいというような場合にはね。自分が死ぬことによって、自分が引き継いだものがみんなあっけなく無に帰してしまうというのは哀しいことじゃない、と彼女は言った。そうかもね、と私は言った。たしかにそのとおりだ。私たちはもう少しコーヒーを飲み、私は家に帰った。

そのときの会話について、私は考えてみた。実際問題として、私はその電話をかけてきた女性に対して何の借りもない。借りがあるとすれば、自分の家族や、あるいは自分の友人たちの家族に対してだろう。可能なかぎり単純なかたちで彼らの物語を語ることによって、言うなれば、いくつかの生涯を私は保存することになる、という言い方もできるかもしれない。

もともとルチアのアイデアだったから、最初に彼女の家族の話を語ろう。ルチアのお祖母さんと、それにお母さん（この話の中では彼女は八つか九つである）のことを誰かが覚えていてくれればと思うからである。お祖母さんの名前はマリアといった。お母さんの名前はアンナ。彼らは一九〇〇年代の初めにマンハッタンのモット・ストリートに住んでいた。マリアはマイケルという男と結婚した。彼は働き者だったが、不運といくつかのつらい思い出が、彼をウェルフェア・アイランドの精神病院に追いやった。

毎朝毎朝、アンナはトロリーに乗って、列車に乗って、それからまたトロリーに乗るという長い道のりをたどって、マイケルに温かい昼食を届けた。彼は病院の食事を食べることができなかったのだ。マンハッタンの石の道路を出て、橋をわたり、ウェルフェア・アイランドの田舎らしい風景の中に入ると、彼女はいつも驚嘆の念に打たれた。そして川の緑の土手で、長い時間遊んだ。野原で野生の花を摘み、そのあとで男性患者病棟へと向かうのだった。

ある日の午後、彼女はいつものように病院にやってきた。マイケルはすごく疲れており、ベッドの端っこに座って食事をとるあいだ、自分の背中にもたれかかって身体を支えておいてくれないかとアンナに頼んだ。彼女は言われたとおりにした。そんなわけで、マイケルが後ろにひっくり返ってそのまま息を引き取ったとき、彼はアンナの心細くちっぽけな両腕の中にいることになった。彼の身体はとても重くて、彼女にはほんの一、二分しかそれを支えきることはできなかった。そして彼はどてんとベッドに倒れた。アンナは看護人に事情を説明してから、帰宅した。マイケルのことがべつに好きではなかったから、泣きもしなかった。最初にまず近所の人に一部始終を話し、あとでその人と一緒に母親のところに行って話した。

さて、ここからが話の中心部分である。

このマイケルという男は、アンナの父親ではなかった。ほんとうの父親はまだ小さい頃に死んでしまったのだ。何人かのまだ小さな子どもたちを抱えた母親のマリアは、困難な時代を乗り切って生き延びていくために、できるかぎりのことをした。彼女は近くに住んでいる、いくらかなりとも血の繋がった家族のところを次々に移り歩いて、身を粉にして女中奉公をした。彼女は働きがよかったし、たまたまパンを焼くのがとても上手だった。彼女はしばらくのあいだ仲のいい友だちの家に住んで、そこで素晴らしいパンを焼くことになる。でもまもなくその家の主人がこう言うことになる、「マリアはとてもおいしいパンを焼く。こんなふうにうまくパンを焼く方法をどうしてお前も覚えられないんだ？」と。おそらく彼は別の方面でも彼女を賞賛するそぶりを示すことになるだろう。というわけで妻は賢明にもマリアに向かってこう言うことになる、「悪いけれど、どこか別のところに移ってもらえないかしら」と。

ある日、春の縁日で、彼女はマイケルという名前の男と出会う。友だちの親戚にあたる男だ。マイケルはイタリアに奥さんを残してきているので、二人は結婚することができない。彼と一緒に暮らすために、マリアは自らに向かっていくつかの事実を並べ、論理的な説明をした。

一　このマイケルという男は背が高く、肩に奇妙な傷跡を持っている。彼女の夫も、並外れて背が高く、肩に傷跡を持っていた。

二　この男は赤毛である。死んだ夫も赤毛だった。

三　この男は仕立て屋である。夫も仕立て屋だった。

四　彼の名前はマイケルである。夫もマイケルという名前だった。

このようにして、自分をなんとか納得させてから、マリアはその人生の大事な時期に、女手ひとつの生活から抜け出すことができたわけだ。子どもたちの人格形成のために大事な父親を得て、ベッドで慰めを与えてくれる男を得て、仕えるべき夫を得たのである。それにもかかわらず、彼が自分の両腕の中で死んだにもかかわらず、アンナは義父のことをぜんぜん好きにはなれなかった。世の中、うまくいかないものだ。何故なら彼はアンナのことをいつも「可愛いちびちゃん《マイ・リトル・ワン》」と呼んでいたからだ。アンナが毎日病院を訪れると、父親はいつも廊下で彼女のことを待っていた。あるいは真っ白なベッドの端に腰をかけて。そして彼女はいつもこう叫んだ。「ねえ、おじさん、ご飯を持ってきたわよ。お母さんからよ。私はもう行きますからね」

Distance

道のり

そのころの私に会っていたらあなたはきっと心ひかれたと思いますよ。私は若さをたっぷり味わった女です。そうね、その幸福な歳月、私は中途半端な娘じゃありませんでした。青春は夢うつつのうちに、あっという間もなく私の隣を過ぎて去っていった、なんてことはありませんよ。火曜日だって水曜日だって、土曜日の夜と同じくらい楽しいものでした。

それからあとがひどかったかって？　いいえいいえ、私たちはこのお国が与えてくれるものをそれこそたっぷりと楽しませてもらいました。車、ジャージーの夏の貸し別荘、テレビだって出てきたばかりの頃から持っていたし、いろんな素晴らしい台所用品。支配人に苦情を言いたてるつもりなんてありませんね。

それでも若い日々を懐かしがるというのは、長くて救いのないホームシックみたいな

ものね。私にとっては、その思いはずっと昔に離れてしまった、もう戻ることのない遠

い故郷みたいなもの。以来とっても楽しい目にもあってきたけれど、でもそれは外国の

町で暮らしているようなものですね。まあ過ぎたものは過ぎたものだし、嘆いても仕方

ありませんけどね。

でもだからこそ私は下の階に住んでいるジニーという娘と、その子どもたちにも理解を持っているんですよ。発育不全のちっちゃな子どもたちですけれどね。太陽にもあたらないし、牛肉も食べられないし。口にするものといえば麺と豆とキャベツだけ。いやはや、移民船から下りたばかりの私の母親だってもうちっとはましな暮らしでしたよ。

それこそ昔々にはね、ジニーの家は私のところとそっくりでした。通気孔を通してキッチンの歌声や、客間のバンジョーの音色なんかが聞こえてきました。本人が真っ先にそれを認めるでしょうが、寝室にはタンバリンがありました。彼女のご亭主はアメリカ人じゃありませんでした。まるでジプシーみたいな真っ黒な髪をしていました。

その昔はすべてのものにしみひとつありませんでした。台所には、淡いラヴェンダー色のばらけた浴室のタイルみたいなのが埋め込まれていました。表の平たいところにはすっかり耐熱パネルが貼られて、ぴかぴかに輝いていました。磨きあげられた鍋やフライパンは人々の目をまぶしく刺すように向けられていました……そういうところにこの家族の悪戯っぽさが出ていました。

もちろんそのあとのごたごたのおかげで、今では何もかもがべたべたに汚れきってい

ます。彼女はただ泣いて泣いて泣き暮らしているだけです。水道の水ひとつ出そうともしません。

この近所に住んでいる女の人たちが五人、私の古い友だちでみんなおせっかいやきなんですが（その中には私は入っていませんけどね）、寄り合いを持って、児童福祉局に請願書を出したんです。そんなことしたって役になんか立たないと私には最初からわかっていました。不潔だとか、飲んだくれているとか、ときどきちょっと売春みたいなことをやるとか、その程度のことじゃ福祉の対象にはならないもの。たぶん私たちの町の子どもたちがこんなひどい状態に置かれているのもそのせいです。私は前からそう思っていました。まあ私があれこれ口出しする筋合のことでもないんですがね。お母さんたちやお父さんたちは、自分たちの起きたい時間に起きます。半分生活保護でごろごろしてるんです。そして昼の三時前から連れ合いとベッドに入って、せっせとことに励んでいるんです（ほんとですよ）。児童福祉局はそんなこと知らん顔です。誰が手紙を書いたって同じです。影響力のある人だって、地区で名の知られている人だって、たとえ今の市長を選ぶのにめいっぱい奔走した地方支部長の従姉妹《いとこ》のレオニーが手紙を書いたって、返事なんかまずもらえやしません。なのにどうして私がわざわざそんなものを書かなくちゃならないんでしょう。予備選挙の単なる投票立会人にすぎないこの私がですよ。

いずれにせよ、この地域にはいろんな種類の人たちが入りこんできています。何も黒人のことだけを言っているんじゃありませんよ。私やあなたのような、信仰を持ったまっとうな人たちのことです。そういう人たちの多くが駄目になっています。私はまあ人それぞれだからと思ってあきらめてますがね、でも子どもたちはいったいどうなるんですかね。

ジニーのご亭主は股の毛を剃っているプエルトリコ人の娘と駆け落ちしちゃいました。これはみんなよく知っていることで、だからこうしてあなたにも言うんですよ。彼がその娘と遊び歩いていると聞いたとき、ジニーも同じことをしました。彼の気を引いて連れ戻そうとしたんですね。でも亭主はそんな彼女に嫌気がさして、それがいわば幕引きになったわけです。

男というのは年をとるにしたがって、まったくろくでもないことを、間抜けたやり方でやりだすものです。私の亭主も、私のことを一貫して好いてくれてはいたんですが、よくそういう馬鹿をやりました。そんなのしらん顔して放っておけばいいんです。世の母親や奥さんにひとこと申し上げたいのはね、アホな亭主の愛人の猿真似なんかくれぐれもしちゃいけませんよ、ということですね。年が年なんだから、そんなことしたってみっともないだけです。言うじゃありませんか、「古いパンの種は新しいオーブンじゃ膨らまない」ってね。

まあね、私も知っているし、あなたもご存じだし、この建物にこそこそと潜り込んできたその辺のちんぴらだっておかまだって、みんな内情を承知しています。うちの息子のジョンは、今ではジニーの哀れで薄汚い部屋に入りびたりってわけです。ジャージーのスモッグのおかげで、つやつやしたマーガレットの顔が薄汚くなってしまったのにうんざりしたんですね(誰がそれを責められるでしょう)。私の孫たちは、そろそろ六人になるんですが、みんな青白い顔をしています。太陽もジャージーの油にまみれた空気を突き抜けることができないのです。なにしろ木の葉だってきっちりとは緑色になれないんですから。

ジョン! ちょっとくらい人の目を見て話をしたらどうなの! あれはいつだってひょろっとしたちっちゃな子どもだったし、他の子どもたちと外で遊びなさいって私たちは口をすっぱくして言っていた。そう言われると、ききわけよくちゃんと外に出ていった。学校にあがって八つかそこらになったとき、私たちは彼をカブ・スカウトに入れたんです。汚い言葉を口いっぱいに詰めたろくでもない悪ガキの群れです。一人残らず筋金入りの乱暴者です。でも指揮官が顔を出すと、ぱっと「気をつけ!」になります。かしら右! 彼らがぱりっと一糸乱れず行進しているところを見たら、あなたはきっとこれは合衆国海兵隊が出ばってきたんじゃないかと思ったことでしょうよ。私の主人も火曜日の夜には、軍曹時代のことを思い出して、子どもたちを教育したものです。といっても「おいっち、にい、さあん、しい!」と叫ぶくらいが関の山だったと思うんですがね。でもジョンときたら、姿勢の良さだけがとりえでした。家に帰ってくると私はあの子を抱きしめて、「今日はスカウトで何をしたの? 行進をやった?」なんて訊いたもんです。

「ううん、お母さん」とあの子は言うんです。「ミセス・マクレノンは朝から晩まで、地区のピクニック大会のための寄付金集めをしているんだ。それで僕はクレヨンでこの聖母様の絵を描いたんだよ」と言うのです。

これがジョンです。ポラロイド・カメラを持ってきたって、これ以上はっきりとは撮れませんよ。

よく訊かれたものです。あんたがたは（というのはジャックと私のことです——私たちは共稼ぎでした）どうしてひとりだけ残った息子を大学にやらなかったのかってね。そんなことまったく余計なお世話ですよね。

正直な話、あの子はたとえ大学に行っても惨めな思いをしただけだと思いますよ。はっきりと言ってしまいますが、あまりオツムがよくないんです。父親もべつにオツムはよくないし、子どももそっちを受け継いでいるんですよ。私たちのマイケルは利発な子でした。でもマイケルは死んでしまいました。私たちは（主人と私のことですが）、何度も何度も話し合った末にひとつの結論に到達しました。この子には商売をさせようって。主人のジャックは最初の混乱期からの自他ともに認める筋金入りの組合のメンバーで、力もあるし、忠誠心はまじりけなしです。ジョンは推薦を受け、また身内ということで、苦労なく業界に入っていくことができました。私たちの判断はぴったり正解だったのです。それが見事に証明されたわけです。

今では（この現在のことですが）、ジョンは建物取引の世界で成功して、ちょっとは名前を知られる人間になっています。ささやかなサイドビジネスとしてセメント装飾の商売もやって、立派な持ち家もあります。そして子どもたちはみんな牧師さんの甥みたいにりゅうとした身なりをしています。

でもね、私は、ジニーとジョンがこの薄汚い豚小屋みたいな地区で真珠のようにきらきら輝いていた時代に、ふたりの関係を目にとめていたただ一人の人間というわけじゃありません。たくさんの人がそれに気づいていましたし、彼らは今だってその光景を泥みたいな脳味噌の中に、蟹みたいにしっかりしまいこんでいます。そういう人たちが、その見目麗《うるわ》しき時代についてしたり顔に語ったり、あるいはそこからあることないことをでっちあげようとしたとしても、決して驚きはしませんね。まるでそれが消えたことについて、この私に何か責任でもあるみたいに言われてもね。

「やれやれまったくな」とジャックはその年に二十回くらいは言ったものです。「あればはすっぱな娘だ。俺たちのジョニーは死んでしまうよ……あの女を見てみな」

そうです。たしかにはすっぱだったと私も思います。でも私だって十七歳のときにはは同じくらいはすっぱだった。もちろんそんなこと私は主人には言いません。でもその年、もう大昔の話になりますが、私は一年じゅう、アンソニー・アルドとふたりでセントラル・パークの芝生をさんざんぺちゃんこにしたものです。なのにどうして最近の若い娘に向かって偉そうなことが言えるでしょう。でもね、やっぱりジャックにはそんなこと言えませんよ。主人は一本気な人間でした……たっぷりとイタリア人をつとめあげたあと、超過勤務の末にありがたや、まっとうなアメリカ人になれたって人です。私は彼にこれっぽちも、爪の先ほども気をもませたくなかった。あの人は、ほんとうにそれこそ親切をそのまま絵に描いたみたいな人だったんです。

主人は夕方六時に帰宅します。私はレジ係の午後の仕事を終えて六時十五分に帰宅します。そして夕食を作ります。七時に食事になり、食べ終えて後片付けをして、七時四十五分ちょうど。もしそのときにお客もなく、子どももどこかに出ていていなかったら、彼はあれをやりたがりました。さっと素早く、余計なことなしにね。八時十五分までには彼はシャワーに入って、その名残を綺麗さっぱりと洗い落としてしまいます。私は彼にウィスキーをちょっと注いでやります。彼は世界のニュースを仕入れようとあのおしゃべりな「ジャーナル・アメリカン」のページを開きます。でももう駄目。おやすみなさい、私の可愛いラフタリーさん、てなもんです。

私はそのあと一人で真夜中までたっぷりとテレビを見せてもらい、甘いワインを楽しみます。私としては主人が日々男性として、女性たる私に示してくれる気遣いを喜んではいましたが、私のほうはともかく、彼にとってはそれはけっこう体にこたえるようでしたね。私は深夜番組の最後のコマーシャルが終わるまで、それこそもう瞬きひとつせずにじっと見入っていたものです。私の娘時代のお楽しみなんて、私ひとりの胸にしまっておくことであって、他の人には関係のないことです。

さて、神様に誓った友だちのしるしとして、ジョンはジニーに高校のバッジを与えました。そのとき彼はもう社会人になっていたんですが、まさか組合員証を与えるわけにはいきませんものね（そういう習慣はありませんし）。でも彼はジニーをクラウス・シュナウアーを招いた盛大な夕食会に連れていきました。シュナウアーは、この三十五年カミーロにあって、アメリカ支部に入会を許されたたった一人のドイツ人です。彼はいやったらしいお尻の大きなナチで、あんなやつに比べたら誰だってピンク色の共産党員《コミー》になっちゃいます。それくらいケツ（あら失礼）の大きなやつでした。で、まあ元気な若いときはみんなそうですが、土曜日の夜はめいっぱい楽しんだものです。おかげで日曜日の朝はもうふらふらでした。ジョンは髭も剃らないような顔でよたよたと朝食の席につきました（男たるもの、亭主だろうが、息子だろうが、下宿人だろうが、朝食の席には髭を剃ってつくものです）。「母さん」と彼は言いました、「おれ、ジニーに結婚の申し込みするつもりなんだ」

「ほらみたことか」と主人は言って、日曜版の漫画ページをベーコンの上に落としました。

「それ、本気なのかい？」と私は言いました。

「もちろん。そして神様に目がおありなら、彼女はオーケーするよ」

「神様を侮辱するつもりはないけれどね」と私は言いました。「もし彼女が承知したとしたら、神様は田舎に釣りにでもでかけていらっしゃるんだと思うよ」

「母さん！」とジョンは言いました。気のいい子なんです。友だちには篤《あつ》いし、性格もいいんです。

「あの娘は誰とでもデートしているよ」と私は言いました。

「ああ、母さんったら！」とジョンは言いました。つまり自分たちは婚約しているわけではないのだから、彼女には好きなことをする権利があるんだってことです。

「男とデートするだけならなんでもないさ」と私は言いました。「つい先週の金曜日には、ピートと一緒だった。彼女の身体に腕をまわしてフィーランの店に向かってたね」

「ピートはいつだってそうさ、母さん」、つまりそれは彼女の落ち度じゃないということですね。

「じゃあ先週の土曜日はどうなるんだい。お前はあの晩、一人で映画を見にいったね。まるでマンハッタン区じゅうに映画に誘える女の子が一人もいないみたいにさ。お前が出ていったあとで、私はあの娘がカーロの店でコークを二本買うのを見た。それからまっすぐ三階のジョン・カメロンの部屋に……」

「それで？　それで？」

「……出てきたのは夜中の十一時だった。彼も娘の身体に腕をまわしていた」

「それで？」

「……そして彼の手は、娘のセーターの奥深く入っていた」

「そんなことないよ、母さん」

「そんなことあるね。いったいお前はどう考えているんだい？　まるで牛乳配達するみたいに、この近所の悪ガキ連中の一人残らずにおっぱいをぺたぺたさわらせてまわっていた娘と、これから自分が夫婦になるということについて。どういう気持ちがするものかひとつ聞かせてほしいもんだね」

「ドリー！」とジャックが言いました。「お前、ちょっと言いすぎだ」

ジョンはまるで赤ん坊の膝みたいに真っ赤になって、何も言わずにじっと私の顔を見ていました。

「私はまだまだ言い足りないし、この際だからはっきり言わせてもらうからね。よくお聞き、ジョニー・ラフタリー、お前はとんでもないアホウだ。その正面の窓から見ててごらんよ。お父さんの望遠鏡を使って見ていれば、お前のその可愛いべっぴんさんが何をやっているかよくわかるよ。彼女があそこにとめてあるトレイラー・トラックの後ろから外に出てこない晩もあるとするね。そういうときにはピートだのカメロンだののとんまなムスコが彼女のところにお邪魔するのは造作もないことなんだよ。いいかいジョニー、やたら風の強い先週の日曜日に、玄関口に座っていたこの辺の大人の女ならみんな知っているんだ、ジニーがアンダーパンツもはいてないってことをさ」

「ああドリー」と主人は言って、両手の中に頭をがっくりと落としました。

「僕は行くよ、母さん。それは侮辱だ。名誉毀損で彼女に母さんのことを訴えさせてやる」、トマトみたいに真っ赤な顔で、間抜けなジョンは怒鳴り始めました。「彼女のところに行って、結婚の申し込みをする。僕は彼女を愛しているし、母さんが何を言おうと無駄さ。それが本当であれ嘘であれ、知ったこっちゃない」

「もしお前が行くのならね、ジョニー」と私は、まるで死んだ魚みたいに冷静に言いました。私は目を上に向けて、神様のお心に留められるべく、お祈りをしました。「私はこうしないわけにはいかないんだよ」、そして私は台所から包丁を持ってきました。いささかなまくらではありましたが、それを私の心臓の上の脂肪にずぶりと少なくとも八分の一インチ（三ミリ）は突きたてました。中年女性の心臓は八分の一インチよりもっと奥にあるんでしょう。だって私はここでこうして元気にあなたにお話をしているわけですものね。でも息子の目の前で、血はちゃんと流れだしました。血は私の夜着からしみだし、バスローブに広がりました。エプロンはイタリアの教会にある絵みたいに真っ赤になりました。ジョンはひざまずいて、私の膝に顔を埋めました。そしてこう叫びました、「母さん、母さん、そんなことをしないで」。主人は無言でした。激しい感情をじっと噛み殺していたのです。でもあとで私にこう言いました。いいか、あの子の心の中の感情はあれで叩き壊されてしまったんだぞ。

翌朝私はカーロの店でジニーに会いました。彼女は私の顔を見ようとはしませんでした。それから見ました。そして言いました。「いいお天気ですね、ミセス・ラフタリー」

「ああ」と私は言いました(いい天気だったのです)。「天気のことなんか、あんたに何がわかるんだね」(何を言いたかったのか、自分でもよくわかりません)

「いったいどうしたんですか、ミセス・ラフタリー」と彼女は言いました。

「何がどうしたっていうんだい?」

「だって、なんだかあなたは私に当たり散らしているみたいですよ。私のことが今朝はどうもお気に入らないみたいですね」、そう言って彼女はちょっと笑ってみせました。

「私はあんたのことが好きだよ。本当にね」と私は言いました。言い合いで負けてなんかいません。「好きじゃないのはあんたのほうじゃないの? そうだろう、あんたはジョニーのことなんかべつに好きでもないんじゃないの」

「なんですって?」と彼女は言いました。まさに虚をつかれて、あっぷあっぷでした。

「何度でも言ってやるよ」と私は言いました。「ぜんぜん、好きでもないんだ!」と、ジニーの腕をむんずと摑んで怒鳴りました。「どっかに行ってしまっておくれ、ジニー。あんたはジョンのことなんか好きでもないんだ。あんたはあの子にモーションをかけて、ちょいと抱かせてやる。ジョンはとても素直な子だから、文句ひとつ言わず尻尾振ってついてくる。赤子の手をひねるようなもんさ」

「あなたは自分の問題だけ考えていらしてれば」とジニーはとても穏やかな声で言います。なにせ私は年上ですからね(目に涙はためていましたが)。

「私の息子の心配をするのは私の問題だね」

「ちがいます」と彼女は言います。「それはジョンの問題です」

「私の息子は私の問題だよ。私には一人の息子しか残されていないし、その子の心配をするのは私の問題だ」

「ちがいます」と彼女は言います。「彼の問題です」

私の息子は私の問題なんだ。私の愛であり、責任なんだ。

「いいえ、ちがいます」と彼女は言います。年上の人間が相手ですから、口のきき方はおとなしいですが、でもとても強いのです（私はそのことに気づかされたものです。唐突に彼らは、若い人たちは、あなたをじっと見て、そして彼らは悟るのです。自分たちはこの人より後まで生きることになるんだと。そして多くの場合、その鋼鉄のような冷たさを和らげ、刺しこんでくるような視線も一インチくらいはわきにそれてしまうのです。それに気がついたことはありますか？）

家に帰ると私は言いました。「ねえジャック、あの子に言って聞かせなくちゃ。これからの人生をあの子が、生活保護で暮らしているみなしごと一緒にベッドの中で送ってもいいっていうの？」

「へえ、そうかい」とジャックは言いました。「あの娘はみなしごだっけね？　死んだのは母親だけじゃなかったっけ。何もかもごたまぜにするつもりなのか？　お前はね、だいたい押しが強すぎるんだ、ドリー。いくらお前がそんなことしたって何の役にも

……」

次にやってきたのは、家庭の中ではしばしば起こることでした。その当座は胸が痛むものです。でも今になって振り返ってみると、人生の全体からみれば小さなしみのようなものですが。

というのはその会話のあと、ジャックは私とはもうまったく関係を持とうとしなかったからです。彼は長年にわたる夕食後のあの習慣を中止して、長い散歩をするようになりました。それが彼の命取りになったのだと私は思います。というのは、夫は習慣の人でしたからね。

それから——そういう散歩のときに一度、彼に一人の女が付き添って歩いているのを人が見かけました。町の向こうに住む痩せた女で、トンプキンズ・スクエアの近くの人々にはよく知られています。大きなウクライナの十字架を、風呂に入るときにもつけているような女です。排水溝に吸いこまれないようにってところですかね。

「そういうつもりなら勝手にしなさいな」と私は言いました。「かまうもんですか。Dアヴェニューの安アパートにでも転がりこめばいいでしょう」

「いいとも。望むところだ」とジャックは言いました。そのはすっぱと、彼女のカラーテレビと一緒に二週間ばかり休暇をとれば、それで熱も引くだろうと彼は考えていたんでしょうね。

「この辺には近寄らないでね」と私は言いました。「このすけべ親父が。あんたのシャツはおしめ配達にでも頼んでそっちに送ってあげるよ」

「ねえ母さん」とかわいそうなジョンは、父親の姿が見えなくなったことに気づくと、私に言いました。「いったいどうしたんだよ？　父さんにそんな口をきくなんてさ。それはきっとワインのせいだよ。きっとそうだ」

「お前みたいな人間に何がわかるんだ！」と私は声を押し殺して言い返しました（ビール党の人間はえてしてワイン党の人間をやっかむものです。うちの父親は貧乏なアイルランド人でしたが、家の中では私たちは好きなほうを選ぶことができたんです）。

「いいや、そうじゃない。母さんはときどき頭がはっきりしなくなっちゃうってことだよ」

「私の頭がおかしいって言いたいのかい。へえ、人格分裂とかそういうことかい？」

「どうかしてるよ！」と彼は言いました。「父さんに戻ってきてほしくないのかい？」、息子は爪の先までぴりぴりしていました。

「余計なお世話だ。お父さんはちゃんと戻ってくる。こういうのは前にもあったことなんだよ、ねんねの赤ちゃん」

「なんだって？」と彼は真っ青になりました。

「お前は蝙蝠《こうもり》みたいになんにも見えてないんだよ、坊や。三年前のクリスマスにあんたはいったいどこにいたんだね？」

「ちょっと待ってよ！　だって母さんはなんともないのかい？　ひどいことじゃないか！　父さんにこんなことされて、まったくよく耐えられるもんだよ。父さんにしてもさ！」

「もうよしなさい。お前には何もわかっちゃいないんだよ、ジョン。そうだよ、私はね、あの馬鹿面が喜ぶところなんか見たくないんだよ。そんなの願い下げだ」

「母さん、そいつは間違ってる」

「さあ、もうさっさと仕事にでかけなさい。あんたは自分のことだけを考えていればいいんだよ、坊や」

「これだってちゃんと自分のことさ」と彼は言った。「それから、坊やなんて呼ばないでくれ」

二ヵ月ばかりしてからジョンはマーガレットを連れて家に帰ってきました。二人とも華氏九十四度のホパトコング湖ですっかり火ぶくれしていました。私はちゃんと公正に言いますけどね、そのときのマーガレットはまだジャージーの空気に汚されてはいませんでした。そしてまあそれほどひどい御面相というわけでもありませんでした。少なくとも心正しき若者の目から見ればということですがね。

「こちらマーガレット」と彼は言います。「ジャージーのモンマスに住んでるんだよ」

「クイーン・メアリー号でこちらに着いたばかりなのね」と私は冗談のつもりで言いました。

「夕食の時間までに彼女を家まで送り届けなくちゃいけないんだ。お父さんが厳しいもんでね」

「ほうほう」と私は言いました。「まあちょっとコークでも飲んだら」

「どうもありがとうございます」とマーガレットが言います。「どうも、どうも、ありがとうございます、ミセス・ラフタリー」

「あの娘には血というものがめぐっているのかいな？」と主人はシャワーから上がったあとで吐き出すように言いました。彼はそのときにはもう家に戻っていました。がりがりにやせて、不満そうな顔で。年をとることのどこにいったい満足なんてものがあるでしょう？

ジョンは父親にも私にも許可を求めたりはしませんでした。誰が何を言おうが気にも留めませんでした。奥さんがいないことにはもうやっていけない年齢になっていたんですね。だからマーガレット程度で我慢せざるをえなかったんです。

誰の人生にも一度はあることですが、ジョンは自分で足を前に踏み出す時期に来ていたんです。そして彼はそれを実行しました。何をやったかというと、まず第一に、マーガレットのお腹は年じゅう大きくなっています。第二に、昨今は家がなくちゃ始まりませんから、ひとつ手に入れました。そしてカソリック教会の藪でしっかりと家を囲んでしまいました。そんな小枝の先っぽについたちっちゃなお札にいちいちラテン語で何が書きつけてあるかなんて、高校の校長先生でもなきゃわかりゃしませんよ。毎日朝から晩まで身を粉にして働いて、家に帰ってくるとホースをひっぱりだして芝生に水撒きです。いちばん上の子どもはもう十四ですが、これは役立たずです。いちばん下が四つで、その子は私に自分の子どもの頃を思い出させます。目がものすごくきらきらしたところと、ぴりぴりに研ぎすまされた舌がね。

「ねえマーガレット、どうしてあんたは私の名前を子どもの一人につけてくれないんだね？」と私は面と向かって彼女に尋ねてみました。

「あら」とマーガレットは言いました。「二人しか女の子はいないし、一人はうちのお母さんの名前をとってテレサ、もう一人は仲のいい姉の名前をとってキャスリーン。次の娘にはお母さんの名前をつけますわ」

「なんだって？　次だって？　あんたはうちの息子を殺すつもりなのかい！」と私は言いました。「あの子は今だって夜中まで働かなくちゃならないんだよ。あんただってとくに元気そうには見えないじゃないか。どっかの腕のいいユダヤ人の医者のところに行って、管をきゅっと塞いでもらうべきだよ」

「まさか、そんなことを！」と彼女は言いました。

からかいでもしないことには、マーガレットからはまともな返事ひとつ返っちゃきません。でもたいていの場合、それでもうまくいきません。まるで自分が生のセメントに向かって話しかけているとんまな建築労働者みたいに思えてきますよ。この世の中にはマーガレットのような人間がもっといっぱいいるんでしょうかね？　いや、そんなことどうでもいいんです。あんなに頭の回転が悪くたって、時間というのはちゃんと立派に過ぎていくんですからね。

そうですよ。だからこそ私たちは今こうして、ごらんのとおりの現在の中にいるんですものね。私のことを、頭の具合がいささかあやしいかもしれないけれど、一応の道理はわきまえた女だと思う人々もいるし、そういうところでは、今では私はおばあさんベビーシッターとして名前を知られています。私は子どもたちにお話を読んでやるのがとても上手なんです。私は女優みたいに本を読むんです。ジョーン・クロフォードやモーリン・オサリヴァンみたいにね。私の声は昔よりずっと深くなりましたよ。そうやって必要なものを買う小遣いくらいは自分で稼いでいます。もっと値の張る必需品は息子のジョンが面倒をみてくれてますがね。私は知らない場所に移りたくなんかない。ここは長年住み慣れた場所だし、いまさら離れようとは思いませんね。

そして終わることなき友情ってやつですかね、ジョンは週に二回はお楽しみにジニーのところにやってきます。ジニーと私はひとことだって口をききません。顔を合わせることはよくありますがね。彼女にはよくわかっています、私が正しかったばかりではなく、勝利を得たのだということを。でも彼女だって人並み以上に幸運だったんです（普通はなかなかそううまくいきません）。ブラッキーっていう若い男と何年か暮らして、その男は彼女にすごく良い目を見させてくれました。でもまだ若さの残っているうちに、それもおしまいになってしまいました。そして私のジョンは今では、彼女をしっかりと自分のものにしています。見事に初志貫徹というところですね。彼女は何から何までジョンにおぶさっているんです。ジョンなしでは何もできません。ジニーの子どもたちも彼にすがりっきりです。ジョンの膝の上から肩にまで上がってくるんです。もしあのとんまなマーガレットがうちの息子を家から出さなかったりしたら、みんな窓から彼のことを大声で呼ぶんです、「ジョン、ジョン」てね。

何もかもがなんとか落着したというのに、ジャックがあの世に行ってしまって無垢な天使様にちょっかいを出しているなんて、残念なことですよ。

私は夏の夜には玄関前の階段に座って、ジョンが顔を見せるのを待っています。私とジニーの両方を一遍に訪ねてこられるような時間の余裕は、息子にはありませんからね。そして私は息子の姿を一目見たいと思うのです。どうしてだかは私にもわかりませんけれど。何にせよ私は通りを見るのが好きなんです。アイスクリーム屋のトラックがやってきて、薄汚い子どもたちやら、いつも女の尻ばかり眺めている粋な若者やらが集まってくるようなむっと暑い夜がね。私はストロベリー・アイスクリームのコーンにその辺のワインをちょいとたらします。これは日曜日だけだぞって私の父親が言っていたやつですね。ほろ酔い気分の御婦人方なんか、それでいちころです。

さてここで、まだされていない、いくつかのシリアスな質問。

この騒々しさとめまぐるしさは、いったいどういうことなんでしょうね。それほどの道のりってわけでもありませんのにね。どうしてジョンはジニーのところに一生かけて通い続けるというのに、マーガレットのところなんかに実のない寄り道をしなくちゃいけなかったんでしょうか。それからジャックのこと、彼のほんとうの性格はどんなものだったのでしょう？　彼は私の味方だったのか、そうじゃなかったのか。そしてあのアンソニー、私が何度も何度も彼の言うなりになっているあいだ（私のほうが水を向けたようなものなんですがね）、いったい何を思っていたんでしょう。彼は本に書いてあるみたいにその場でぱっと私を妊娠させたりはしませんでした。どうしてまたフランス人の司祭は涙にくれて、そして戒律に反するようなことを言ったんでしょう、「ああドリー、大丈夫だよ。もしお前がアンサントしているのなら（妊娠しているということですね）、彼は間違いなくお前と結婚することになるよ。だから微笑みなさい、かわいそうな娘。教会は生まれてくる赤子にそれをちゃんと約束しているのだからね」と。それに対して私は、タフで陽気そのものだったかつての私は、人生を生きて終えるべくそこを立ち去る前に、どうしてまたこんなことしか言えなかったのでしょうね、「いいえ神父様、彼は私を愛してはいないのです」なんて。

Faith in the Afternoon

午後のフェイス

あなた、そう、我が仲間、西側ブロックの自立した思考者であるあなた、もし何か言っておきたい筋の通ったことがあるのなら、我慢なんかしないほうがいいですよ。今ここで、大声で叫んでしまったほうがいい。二十年後には（春のひとつふたつくらいは誤差があるかもしれないけれど）、あなたの孫たちは、世界じゅうの砂場に寝ころんでいるでしょう。そして地面に耳をつけて、太古からのシグナルに耳を澄ませているでしょう。まったくの話、うんざりするくらいの量の灰色のほこりに包まれた大平原《グレート・プレインズ》に跪《ひざまず》いたとして、いったい何が聞こえるのでしょう？　豚のぶうぶう鳴く声、じゃがいもをむく音、インディアンの走る足音、冬の到来？

フェイスは平日の真夜中には、だいたいいつも頭を枕の下に突っ込んでいる。夢を見て汗をかき、海の音のせいで船酔いしている。ぴんと立った尻尾を高潮につかまれて悲鳴をあげる風の音だ。

それというのも、海原を縦横無尽に切り刻み、凍ったニシンをポケットに詰めこんで、バルト海の氷結した海岸を何マイルにもわたってスケートしていた祖父のせいだった。いっぽう彼女はといえば、一心に耳を澄ませながら、コニー・アイランドで生を享《う》けた。

彼女の前にいたのは誰だろう？　もちろんママとパパだ。彼女のまわりにいたのは？　彼ら自身の哀しみの鼻先をつかんで、この人生の外に連れ出そうとしている兄と妹だ。もしこの二人が合体したら、ろくでもない四本足の、バイリンガルの、ふたなりの生き物ができあがっていたことだろう。それでも、己の美質を証明するかのように、二人はフェイスには悪意を抱いていないし、いつも熱心に彼女に会いたがる。フェイスの子どもたちにも。二人はかわいそうな父親のいない少年たちを連れて、自分たちの子どもたちと一緒にピクニックにでかけたがる。歩いて海まで行くのだ。またいつも喜ばしげにこう口にする、私たちは〈ユダヤの子どもたち〉でママに会ったよ、よろしく伝えてくれって……世間一般の兄弟たちとはちがって、彼らはそういうときにも、決して嫌みな言い方はじない。ちょっと寄ってあげればいいじゃない、フェイス、地下鉄に乗ればすぐなんだし……なんてことは言わない。

ホープもフェイスも、はたまたチャールズでさえ（年に一度、フェイスの生存能力が、その虐待を受けやすい傾向によって押しつぶされていないかどうか、おっかない顔で検分にくるチャールズ）、彼らの両親が頭金を払って、老人ホーム〈ユダヤの子どもたち〉

に入ると決めたときには、再考を促したものだった。「お母さん」とホープは言って、眼鏡を取った。というのは彼女は、自分と母親とのあいだにガラスの小さな一片さえ入ることも好まなかったからだ。「あなたはあのおしゃべり女《イエンタ》とどうやってやっていくつもりでいるの？　あの人たちの中には英語もしゃべれない人だっているのよ」。「私はこの人生で、既にたっぷりすぎるくらい英語をしゃべってきました」とダーウィン夫人は言った。「もしそんなに英語が好きだったら、私はイギリスに越すわ」。「イスラエルに行けばいいじゃないか」とチャールズが尋ねた。「そうすればまわりの人の目にも、少なくとも筋は通っているんじゃないの」。「それでお前たちをあとに残していくわけ？」と彼女は訊いた。みんなをここに置き去りにし、その涙もろい視線の保護を失った彼らが、日々の浅瀬に座礁してしまうことを思って、彼女の目には涙が浮かんでいた。

　母と父の姿を思い浮かべるとき、いついかなる年代であれ（若いときでも、個性が薄められつつ年をとったときでも）、二人はいつも浜辺に腰をかがめて、その淡い色の目で白い波をじっと見つめていることに、フェイスは思い当たる。そしてフェイスは、自分がいろんな物事の流れの中でぐっしょりと濡れているみたいに感じ、これならいっそ英仏海峡やダーダネルス海峡みたいなところを、クロールで泳ぎわたってやろうかと思う。あるいは遅まきながら専門職の喜びに浸り、この高慢なる土地のインチキくさい駆け引きから逃げ出すために、教育学の修士号でもとってやろうかと考えたりもする。

　ある種の事実は役に立つかもしれない。ダーウィン一家は新鮮な空気を求めてコニー・アイランドに越してきた。ヨークヴィルではろくに息をつくこともできなかったのだ。フェイスの祖母は祖父に連れられて、そこに落ち着いたわけだが、まわりにはナチのドイツ人や、アイルランド人のごろつきたちがうようよしていた。そして祖父はまもなく、青いパジャマを着たまま、ひとり死出の旅路につくことになった。

彼女の祖母は、自分はドイツ人だというふりをしていた。それはフェイスが自分はアメリカ人だというふりをしているのと同じことだった。フェイスの母親はこういうことすべてに強く反発した。コニー・アイランドの同胞たちのあいだに無事に身を落ち着けるとすぐに、彼女は本物のイディッシュ語の勉強にかかり、外国語を覚えるのはあまり得意ではないフェイスの父親を助けた。そしてすべての動詞や必要とされる名詞が口蓋の中にすっぽりと集められるのを待ちかねたように、彼女はひとつの誓いを立てた。これからはイディッシュ語で人を諭し、イディッシュ語のみで哀しみを表わそうと。その誓いは今にいたるまでずっと守られている。

リカルドのおかげで自分はしばらくのあいだ不幸せを忍ばなくてはならないだろうと悟って以来、フェイスはたった一回しか両親を訪問していない。フェイスはまぎれもなくアメリカ人であり、ほかのみんなと同じように、幸福というものの存在を信じて育ってきたのだ。

疑問の余地はない。四方八方（薄目をあけて）見わたして文句なしに惨めだった。彼女は両親の前で、このことを恥じる。「あなたには助けが必要なのよ」とホープは言う。

「精神医学というのは、お前みたいな人のために発明されたんだよ、フェイスフル」とチャールズは言う。「私の愛しい金髪娘《ブロンディー》、人生は短いんだよ。お金のことなら多少はあげられる」と父は言う。「あなた、いつになったら大人になるの」と母は言う。

両親の頭はさまざまなものごとに関わっている。分断されたエルサレム。第二次世界大戦はいまだに二人のあいだの議論のたねである。原子力の平和利用（そもそも原子力は必要なのか?）。反ユダヤ主義の新しいさざ波が、彼らの達成した静かな浜辺をひたひたと打つ。

彼らは当然のことながらフェイスに対して、そしてまた繁栄の時代の真っ只中における彼女の愚かしい位置に対して、顔をしかめている。彼らはフェイスが意地をはって不幸になっていることを恥ずかしく思っている。

いいわよ、恥ずかしく思いなさい！　それがなんだっていうのよ！

リカルドはフェイスの最初の夫だが、世馴れた人物である。彼は男たちに好かれたし、そのことを誇りに思い、幸福に感じていた。俺はなんといっても男受けのする男なんだよ、と彼は自分で言った。そして男受けのする男がみんなそうするように、彼もまた女の尻をせっせと追いかけた。よく西八番通りで、まったく文字どおり、誰か若い女のあとを走っていた。あるいはどこかの可愛いプシキャットに追いつこうと、ベッドフォード・ミューズの小さな塀を乗り越えていた。

　リカルドは女たちにあだ名をつけて呼んでいたけれど、それはだいたいにおいて彼女たちの容貌上の欠点に由来したものだった。彼はフェイスのことを「ボールディー（はげ）」と呼んだが、フェイスははげてなんかいないし、これからはげるという可能性もまったくない。彼女は細い金髪で、頭の上で普通にまとめても、まとめきれずに髪は顔のまわりにばらけて逃げて、髪が一見まばらになり、おかげですぐ赤面してしまう。フェイスはそれを、身体の作りそのものが華奢にできているということの一環だと思っている。リカルドは今スタイルの良い娘と一緒に暮らしているのだが、白くて丸っこい腕をしているので、彼女のことを「ファッティー（でぶ）」と呼んでいる。

　フェイスのその最初の夫は、ニューヨークでは、〈グリーン・コック〉という人気のあるバーからほど遠くないところに住んでいる。彼はそこの常連であり、そのときつきあっている女の子を前に押し立てて、堂々と店に入っていくと、みんなに大きな声で挨拶される。彼はみんなに女の子を紹介する、「よう、こいつは、ファッティーだよ」とか「よう、こいつはボールディーだよ」とか。その前にはバグジー（のろま）がいた。彼女はスラムの育ちで、バーテンダーのラッセルとは一緒にビー玉を転がして遊んだ仲だった。それからリカルドが彼女を、出涸《でが》らしのティーバッグにならないように（というのは彼のジョークだ）と救いだし、彼のペイパーバック的文化のたよりない竿を使って、上にひっぱりあげた。彼女のクラスよりずっと上のところまで。そして彼女は今でもまだその場所から、いろんなトラブルを処理している。哀れな娘、彼女の膝はまだ宙をふらふらとさまよっているのだ。

　バグジーはフェイスの脳裏の精神病理的なカーテンの背後で永遠に生きている。心の痛む結末。というのは彼女はかつては、通常の意味あいにおける「身持ちの悪い女」にとどまっていたのだが、リカルドが二度の堕胎とろくでもないひと冬を通じて彼女を助けた頃には、すっかりアルコール中毒になって、金のために身を売るようになっていたからだ。彼女はいつのまにかおなじみの報酬――一晩の伴侶と、遅い朝食を食べる週末――のためだけに身体を与えることはやめてしまったわけだ。

　バグジーはフェイスの前の女だった。リカルドは何はともあれ、二年間にわたってフェイスの夫になることに同意した。というのはフェイスが、うっとり夢見心地の中で妊娠してしまったからだ。と思う間もなく自然流産ということになったのだが、もう遅すぎた。二人はその六週間前にしっかりと公式に結婚してしまっていたからだ。リカルドは紳士らしく（そうなろうとすれば、ちゃんとなれるはずなのだ）、彼女の愛を甘んじて受けることにした。中肉中背の、がっしりとした肩の、真っ黒な髪の、指の先までストレートで粗雑で、ラヴェンダー色の目をした男――フェイスはいささかの留保もなく、聴く耳を持つ人なら誰にでも、声を大にして公言することができた。私はリカルドを愛しているのだと。彼女は実に、自分自身をも愛するようになった。彼から――少なくとも二年間にわたって――かくも心温まる行為を引き出すことになった、その我が身を。

そう、彼女は誰かが、「だってねえフェイス、愛なんてわからないものよ」と言うたびに、強く抗弁したものだ。彼女はリカルドを愛していたにちがいない。彼女は彼とのあいだに二人の息子をもうけた。それは彼を祝福し、また素面《しらふ》のときに彼なりに注ぐ愛を祝福するためのものだった。リカルドはといえば、毎晩のように、石炭を積んだ船がニューカッスルに向かうが如く、既にアルコールを満載した身で〈グリーン・コック〉によろよろした足どりで出かけ、しばしば自己の信念を大きな声で、みんなに披瀝《ひれき》したものだった。フェイスは俺のことをしょうもない九時―五時の勤め人にするために、あの二人のガキを作ったのさ、と。

そのシンプルな日々に、フェイスはこう言ったものだ、それはとんでもない誤解だ、と。生活のパブリックな部分について言えば、彼女の論理的発言は、子どもたちの遊び場と、A&Pストアのレジの前の列においてなされていた。低水準の生活に甘んじてもいいと二人で決めたら、半端仕事というのは素晴らしい方法なのよ。だってね――彼女は自分の全人生を包み隠さず打ち明けた女性たちに向かってそう説明した――いつもうちを空けて仕事をしている男たちに、子どもたちのことがどうしてわかるというの？そのとおりよ、それが今の子どもたちの抱えている問題なのよ、父ちゃんの顔もろくすっぽ見られないんだから、彼女たちはフェイスに話を合わせて、そう返事をかえした。

「ねえ、ママ」とフェイスは先日〈ユダヤの子どもたち〉を訪問したときに言った。「私とリカルドは、もうこれ以上一緒にやっていけないと思うの」

「フェイス！」と母親は言った。「あなたったら、ほんとに短気なんだから。いいこと、よくお聞きなさい。この人生の中ではね、そんなのは珍しいことじゃないのよ。二、三日したら彼は戻ってくるわ。なんといっても子どもたちが……、あなたが一言詫びをいれればいいのよ。だいいち、別れる切れるというようなたいした問題じゃないでしょう。馬鹿馬鹿しい。私の目から見れば、リカルドは二カ月前ここに来たときには、以前よりずいぶんまともになっていたわよ。だからそんなに深刻に考えちゃだめよ。家をきれいに掃除して、食卓にステーキを出してあげなさい。子どもたちにもう少し静かにするようにいいきかせて、隣のおうちにテレビを見にいかせなさい。気がついたら彼は家に落ち着いているわよ。いちいちあなたが気を立てるからいけないのよ。美容院に行って、かっこのいい髪型になさい。パパに頼めば、少しくらいのお金は喜んで用立ててくれるはずよ。私たちは文無しでぴいぴいしているわけでもないんだから。何か助けがほしければ、遠慮せずに言ってくれればいいのよ。心配はいらない。明日にもリカルドは戻ってくるわ。あなたが家に帰ったら、彼はくつろいでハイファイのスイッチでも入れてるわよ」

「ママ、ママ、よしてよ。あの人まるっきりの音痴なんだから」

「ねえ、フェイス、あなたならもう少しましな人生を生きられるはずよ」

二人は黙ってそこに座っていた。目を伏せて、なすすべもなく。ドアノブがかたかたと音を立てた。「やれやれ、ヘーゲルシュタインだわ」とミセス・ダーウィンは小声で言った。「フェイス、わかってるわね。ヘーゲルシュタインにはなにも言っちゃだめよ。あの人はなんだってすぐに首を突っ込んでくるんだから。匂わせるのもなしね」

〈おばあさんたちの毛糸の靴下協会〉の会長であるミセス・ヘーゲルシュタインは、オイルをさした車椅子に乗って部屋に入ってきた。彼女は色とりどりの毛糸の束を、膝の上に載せていた。彼女は年寄りだった。ミセス・ダーウィンのほうは、年寄りというほどの歳ではなかった。ミセス・ヘーゲルシュタインがこの協会を組織したのは、最近の子どもたちが冬のあいだもずっとコットンの靴下しかはかないからだった。手足の末端の熱を急激に失いつつある祖母たちは、当然のことながら、今現役の母親たちの世代よりは、そのような事実に対してはるかに敏感である。

「シャローム、ダーリン」とミセス・ダーウィンはミセス・ヘーゲルシュタインに向かって言った。「ご機嫌はいかが？」と律義にたずねた。

「それがね」とミセス・ヘーゲルシュタインは言った。「ミセス・エッシー・シャイファーが手首の具合が良くないって、抜けてしまったのよ」

「あら、そうなの？　じゃあ、ここに来て私たちと一緒に、何もせずに座っているだけでもいいじゃない。そばに仲間がいれば、気も晴れるでしょう」

「そんなの、よしてちょうだいな。ただそこにじっと座っているだけなんて、セラピーにもなりゃしないわよ。そんなの、ふん」とミセス・ヘーゲルシュタインは言った。「あらあら、あなたはひょっとしてフェイスじゃないの？　フェイスちゃん？　まあまあ、なんてことかしら。ホープなら話はわかるけれど、これはこれはなんとフェイスちゃんじゃありませんか。ということはつまり、あなたにもやっと、お母さんに会いにくるだけの時間ができたっていうことなのね……。あなたも永遠に忙しいわけじゃないってことがわかって、お母さんも一安心だわね」

「ああ、シリア、お願いだからちょっと静かにしてちょうだい」とフェイスの心痛める母は言った。「お願いだからやめて。フェイスだって来られるときには来ているんだから。この子には子どもたちもいるの。小さな男の子が二人いるのよ。それに仕事もある。シリア、あなただってよく覚えているでしょう。子どもたちがまだよちよち歩きのうちは、日々の暮らしがどんなに大変だったか。そのころのあなたにとって何がいちばん大事だった？　子どもたちでしょう……、小さな子どもたち、なんといってもそれが優先事項なのよ」

「そりゃそうよ。それが第一《ファースト》。私だってそれくらいわかっていますよ。なんたってまずアーチー、だったものね。ありがたいことに、クリスマスにはフロリダにいるミスター・アンド・ミセス・ファーストから、カードをいただいたわよ。よくお聞きなさい、愚かな人たち。私はね、あの人たちのところにちょいと行ったことがあるのよ。森の中、川の近くの避暑地みたいなとこ。ただしそこには風通しってものがまるでないの。だから家じゅう、シロアリと犬の匂いがぷんぷんするわけ。私はミスター・ファーストにお願いしたわ。お願い、私は年寄りなのよ。それをわかってちょうだい。新鮮な空気というものが私には必要なの。だからあなたの部屋のドアは開けっぱなしにしておいて。後生だから。でも取り合ってもらえない。夜の十一時になると、ドアがばたん！ 岩のようにしっかりと閉じてしまう。たった十分の営みのために、あいつらは一晩じゅう部屋を閉め切りにしてしまうんだから。

私は養老院にいたほうがまし。私はあの人たちにそう言ったよ。あそこに行けばね、ちょっと風を入れ替えるくらいのことを、恥ずかしく思うような人は一人もいませんからね」

ミセス・ダーウィンは顔を赤くした。フェイスは言った。「口だけじゃなくて、手を動かさなくちゃ、ミセス・ヘーゲルシュタイン」

いつものことながら、フェイスがミセス・ヘーゲルシュタインについて知っていることよりは、ミセス・ヘーゲルシュタインがフェイスについて知っていることのほうが多いみたいだ。ミセス・ヘーゲルシュタインは言った、「そうね、わかったわ。あんたはちゃあんとここにいる、フェイスちゃん。時間を無駄にするのはやめましょう。手伝ってちょうだいな。ほら、これを持っていて。この毛糸を両手にしっかりとかけていて。あんたのママが玉を作ってくれるからね」。フェイスは言われたとおりにした。両腕に毛糸をかけて、前に差し出した。ミセス・ダーウィンはそれをぐるぐるたぐって、丸い玉に変えていった。ミセス・ヘーゲルシュタインは大きな声で指示を出した。車を前にやったり後ろにやったりしながら、致命的な間違いを鋭く指摘した。「ギッテル、ギッテル」と彼女は叫んだ。「もっと丸く作らなくちゃ。それじゃ角張りすぎてるわ。ほらフェイスちゃん、もっと腕に力を入れて。少しからだを動かすのよ。あんた、麻痺かなにかなの？」

「もっと毛糸を、もっと毛糸を」とミセス・ダーウィンは言って、できあがった玉をショッピング・バッグの中に落とした。彼女たちは生命や人生について、女性らしくにぎやかに、尽きることなく会話を続けた。そのあいだ、ずっと手を動かしていた。彼女たちはそれぞれに、相手から重要な事実を引き出しながら、まるでキブツみたいに身を打ち込んで仕事を続けた。

ダーウィン夫妻の部屋のドアは開いていた。髭をはやした老人たちが、背中で親指を組んで、外を通り過ぎていった。みんな同じような顔をしていた。主の軍隊の残りかすみたいだ。彼らはマットレスの下に朝刊を詰めこみ、最近の哀しむべき出来事のために、六階にある〈ユダヤの寺院〉に足繁く通っていた。そこにいるほうが、よりよく神とのコミュニケーションがとれるからだ。女性たちは編み棒に向かってしっかりと身をかがめ、その言葉はカルシウムが詰まったみたいに不明瞭になっていた。人々は開いたドアをノックした。「おや、忙しそうだな」とか、「ミセス・ヘーゲルシュタイン、あんたよく働くね」とか声をかけた。〈おばあさんたちの毛糸の靴下協会〉の副会長であるフェイスの母親に声をかけるものは、あまりいなかった。

ホープは何度も母親に警告を与えたものだ、「お母さん、あなたはまだ六十五だし、見た目には五十五にしか見えないのよ」と。「若さというのは、要するに心の問題なのよ、ホープ。私はおばあちゃんよりも、もっと年とっているように感じるの。良くも悪くも、そういうふうに私はできているのよ。それにパパはもうすぐ七十だしね、そろそろ一服しても罰は当たらないんじゃないかしら。私たちがまだ若いっていうのはひとつの強みよ。だってそれだけうまく適応できるっていうことでしょう。ほんとうのよぼよぼの年寄りになる頃には、私たちはすっかりそこに馴染んじゃってるわよ」。「お母さん、あなたたちはきっとまわりから変な目で見られるわよ。侵入者として、いたるところに敵をつくることになるのよ」。ホープは子どもの頃に何度もキャンプに送られていたせいで、集団生活について多少の知識がある。

フェイスの正面で、彼女の母親はトルコブルーの大きな玉に、ますます多くのトルコブルーの毛糸を巻き込んでいる。フェイスは毛糸を巻いた両腕を前に差し出したまま、それにあわせて、からだを前後にゆっくりと揺らせた。このこせこせとした社会では、ミセス・ヘーゲルシュタインのような人のほうが求められ、敬われ、甘やかされるのだ……そう思うと、フェイスの子どもとしての情愛は傷つけられた。

「ねえ母さん、近所の人たちから何か言ってきた？」とフェイスは質問した。フェイスとしては、リカルドの空中に浮かんだ影が、そのごつい親指を彼女の目に押し込む前に、ちょっとは気晴らしができるのではないかと思ったのだ。

「いいえ、とくにたいしたことは」とミセス・ダーウィンは言った。

「とくにたいしたことは？」とミセス・ヘーゲルシュタインが聞き返した。「とくにたいしたことは、って言った？　あんた今日、スロヴィンスキーから手紙を受け取って、心臓が前歯にひっかかるような思いをしたばかりじゃないか、ギッテル。この罪のないフェイスちゃんにはそれを隠しておくつもりなんだね。シー、小さな子どもにはなんにも教えちゃいけませんよって。そうだろ？」

「シリア、お願いだから。それにはそれなりに理由があるのよ。余計な口をはさまないでちょうだい。お願いよ、シリア。そんなに出しゃばらないで。このことについては、あまり話したくないんだから」

「馬鹿馬鹿しいったら！」とミセス・ヘーゲルシュタインは小さい声で吐き捨てるように言った。

「ほんとうにスロヴィンスキーから手紙が来たの、ママ？　ほんとうに？　私がテッシーのことをいつだって知りたがっているのは知っているでしょう。子どもの頃、テッシーと私は、それは仲良く一緒に遊んだものよ。彼女のことは好きよ。好きじゃなかったことなんて、ただの一度もないわ」。そしてとくにわけもなく、彼女はミセス・ヘーゲルシュタインに向かって言った。「とても綺麗な女の子だったのよ」

「あら、そうなの。綺麗だったのね。若くて、そして綺麗だった。よくある話じゃない。そうなのよね。ねえギッテル、巻くのはもうやめちゃったの？　どうして？　集まりは今夜の予定なのよ。お友だちのスロヴィンスキーの話をフェイスにしてあげればいいじゃない。フェイスはこれまでもう十分すぎるくらい甘やかされてきたわ」

「シリア、よしてって言ったでしょう！」とダーウィン夫人は言った。「黙りなさい！」

（その言葉はちょっとした思い出を当事者たちに運んでくる。ある土曜日の午後に、ミスター・ダーウィンのあとをつけてボードウォークを勢いよく歩いてきた一人の警官が、彼を逮捕した。ミスター・ダーウィンはそのときショレム・アレイヘム・スクールのためのビラを配りながら、彼のまた従兄弟《いとこ》と理性的に論争をしていた。また従兄弟は、過去と未来について、ちがった見解を有していたのだ。ビラにはイディッシュ語ででかでかとこう書いてあった、「お父さん、お母さん！　小さな子どもの声があなたに呼びかけています。『パパ、ママ、今この世界で、ユダヤ人であるということは、いったい何を意味しているの？』」。ミセス・ダーウィンは彼らの姿を、ボードウォークのベンチから見ていた。彼女はショッピング・バッグいっぱいのビラと一緒に、そこで日光浴をしていたのだ。警官はダーウィン夫妻と年老いたまた従兄弟に向かって怒鳴りつける。彼らは法的に許されない場所にいるからだ。そこでフェイスの母親は、警官に向かって、メイフラワー号的な声で言う。生命の像がますます薄れゆく、その声で。「黙りなさい、このコサック！」。「いいですか、おまわりさん」と夫のダーウィンはたしなめた。「ユダヤ人にとってはね、『黙れ』という言葉は、恐ろしい表現なんですよ。それは汚い言葉なんだ。罪のようにね。というのは、私の記憶が正しければ、そもそもの始まりには、言葉があったからだ！　だからそれはただごとじゃない攻撃なんだ。わかったかね？」

「ギッテル、もしあんたが手紙の話を今しないのなら、私はさっさとここを出ていくし、当分はここには来ないよ。人生はきれいごとじゃすまないんだ。今の人たちはみんな、子どもを甘やかしすぎているよ」

「ねえママ、テスのことで何か知っているのなら、教えてちょうだい。とにかく、私は知りたいわ」とフェイスは言った。「もし教えてくれないのなら、ホープに電話するから。きっとあの子には話をしたんでしょう」

「誰も彼も、みんな頑固なんだから」とミセス・ダーウィンは言った。「わかったわよ。テス・スロヴィンスキー。あなたも最初の悲劇のことは知っているわよね、フェイス。最初の悲劇は彼女がモンスターみたいな子どもを産んだこと。ほんもののモンスター。誰もその姿を見た人はいないけど。彼らはその子をホームに入れてしまった。まあ、それはいい。それから二人めの子ども。彼らはめげずにすぐ二人めの子どもを作った。ところがこの子どもが、まさに生まれつきアレルギーの巣みたいな子どもだった。オレンジ・ジュースを飲めば発疹が出る。ミルクを飲めば喉を詰まらせる。田舎に行けば目が腫《は》れ上がる。やれやれ。それからご主人のアーノルド・リーヴァー（とても陽気な青年）が癌になった。指を一本切り取った。でも症状はもっと悪化した。それで今度は手首を切り落とした。それも役に立たなかった。ねえフェイス、あの素敵な青年はもう駄目だった。私が今朝あんたが来るすぐ前に受け取った手紙には、そのことが書いてあったの」

ミセス・ダーウィンはそこで話をやめた。そして彼女はミセス・ヘーゲルシュタインとフェイスの顔を見上げた。「彼はね、ひとり息子だったのよ」と彼女は言った。ミセス・ヘーゲルシュタインは思わず息を詰まらせた。「ひとり息子ですって！」、彼女の老いた頰の、深いしわの上を涙がほろりと流れた。しかし彼女は七十七年間というもの、ずっと一貫して不思議なかたちの微笑みを顔に浮かべ続けてきたので、その涙はいきなり両耳のところまでひゅっと方向をそらせ、まるでガラスみたいにふたつの耳たぶから垂れ下がることになった。

フェイスはミセス・ヘーゲルシュタインが泣くのを横目で見ながら、無感動だった。そして頭の中でひどいことを考えた。もしリカルドが脚の一本でもなくしたら、あの人を家にひきとめておくことができるのに。そう考えると少し気が晴れたが、長くは続かなかった。

「ああ、ママ、ママ、テスは人生の将来を思い浮かべるようなタイプじゃなかったわ。私たちはよく一緒にままごとをしたりしたけれど、あの子は何も考えてなかった」

「考えてどうなるっていうのよ？」とミセス・ヘーゲルシュタインは声を荒らげた。

「こうしている今も、アーチーはフロリダで寝ころんでいるはずよ。太陽をさんさんと浴びてね。あいつが何を考えてると思う?」

ミセス・ヘーゲルシュタインはフェイスの心臓を震わせた。彼女はフェイスの肋骨をかたかたと揺さぶった。彼女はフェイスの悲しみを、そんなものは実際には世界のすべての主要毒物の中で最も毒性の少ないものなんだから、という感じで圧殺してしまった。

それでも、現実に立ち戻った最初の人間はミセス・ヘーゲルシュタインだった。涙も乾いた目で、彼女は言った、「それで、ブラウンのところのことはどうなったの? 叔父にあたる間抜けの、筋金入りのシオニストでイルグーン団員の、おいぼれのブラウンはここに入っているでしょう」

「それ、ジューン・ブラウンのこと?」とフェイスは尋ねた。「私の友だちのジューン・ブラウンのこと? ブライトン・ビーチ・アヴェニューの、あのジューン・ブラウン?」

「そうよ、もちろん。ただね、そんなにひどい話でもないのよ」とミセス・ダーウィンは言って、そのまま話に入りこんでいった。「ジューンのご主人は航空機のエンジニアで、すごくきまじめな若者だった。パパは彼のことを今日にいたるまで気に入ってないけれどね。彼は活動をやっていたの。彼らはハンティントン・ハーバーに家を買った。車庫とボートと、ボート庫つきの家よ。ジューンは目が覚めるような美人になった。子どもが三人。みんな頭がいい。ご主人は副社長とゴルフをした。異教徒《ゴイ》とね。未来はまさにバラ色だった。彼女はすべてに積極的だった。ところがある朝、目を覚ます。時はまさに真夜中よ。誰かがあれこれと調べあげている。いろんなことが次々に暴露される(活動をやっていたと言ったでしょう)。四十八時間のうちに彼はばっちりブラックリストに載せられている。ハンティントン・ハーバーにはさようなら。今ではブラウン家に居候して、四部屋しきゃない家に大勢の人たちと一緒に詰めこまれて暮らしている。きっとそういうのは年寄りにはつらいことでしょうね」

「ひどいことだわ」とフェイスは言った。「この国全体がおかしくなっているのよ」

「でもねフェイス、いろんな時代があるのよ。ここは尋常な国じゃないんだから。たとえ五回世界をまわったところで、こんな国にはめったにお目にかかれるものじゃない。この国は良くなることもあれば、落ちることもある。常識を越えているのよ」

「ほかにはどんなことがあるの、ママ?」とフェイスは尋ねた。ジューン・ブラウンの話を聞いてもとくに気の毒だとは思わなかった。ジューン・ブラウンが痛みについて何を知っているだろう? あなたが背も立たない夜の海に入っていくとき、あなたに期待できるのは陽気に死んでいくことくらいではないか。ジューンとそのご主人(なんという名前だったか)は惜しみなく施しものを与えてくれるアメリカのエアポケットに、いささか深く立ち入りすぎたのだ、とフェイスは思った。フェイスは彼らの窒息を良い気分で受け入れた。

「ほかにいったいどんなことがあるの? そうね、アニタ・フランクリンなんてどうかしら？ 学校のときはすごくかっこよかったじゃない。三年生の全員が彼女に夢中になっていたわ。胸が大きくてね。覚えているかしら、彼女に初潮があったのは、九歳と九カ月のときよ。たぶんそれくらいだったと思うけれど。あの人のお母さんとは、ママも親しかったわね。あなたたち二人はいつだって、どんなことでだって結束していたわ。ママとミセス・フランクリン。さあママ！」

「お前、ほんとうにその話が聞きたいの、フェイス？ 話を聞いたらきっと、そんな軽口をたたくような気分ではなくなってしまうわよ」、彼女は今ではむしろその手の噂話を自分から進んで語りたがっていたのだけれど、この話をすることについてだけは戸惑いを感じているようだった。でもとにかくいちおうフェイスに警告は与えたのだ。「いいわよ。うん、アニタ・フランクリンのことね。アニタ・フランクリンもやはり、先のことなんて考えなかった。あなたは覚えているでしょう、彼女があなたとリカルドよりずっと早い時期に結婚したことを。ハーヴァード出のハンサム・ボーイと。ああシリア、彼女の両親が娘の幸福にどれくらい高いものを望んでいたことか。アーサー・マッサーノは、あなたも知っているでしょう、南欧系ユダヤ人《セファルディム》だった。彼らはボストンに住んで、素敵な人たちとつきあった。教授やら医者やら、そういった立派な人たちと。歴史の本を書いている人、知的なアメリカ人たち。そりゃたいしたものよ、フェイス。私も何度

†訳注――おそらくマッカーシーの「赤狩り」にひっかかったのだろう。

かお宅に招待を受けたわ。クリスマスや復活祭に。赤ん坊たちにも会ったわよ。昔のあなたと同じような、金髪のおちびちゃんたちだった。彼はちがう分野でたぶんふたつの博士号を持っていたと思う。もし誰かが、何の分野であっても、わからないことがあったら、アーサーに訊けばいいってところ。八カ月で彼らの赤ん坊は歩けるようになった。私はそれをこの目で見たのよ。彼はあなたが聞いたこともないようなユダヤ系の雑誌に記事を書いていたわ、シリア。そしてある日、アニタは確かな筋からその話を聞いたの。彼が新入生たちと浮気しているって。十代の子たちよ。その話はすぐに新聞にも書かれた。狭い世界はその噂でもちきりになったわ。みんなあれこれと意見を口にした。噂のとおりだと言うものもいたし、それはちがう、あれはただの害のないいちゃつきさ、と言うものもいた。ほら、若い子たちとふざけまわるのが好きな男の人っているじゃないか、と。でも結局、オツムの軽い女の子が一人、妊娠してしまった」

「スペイン人ときたら」とミセス・ヘーゲルシュタインが感慨深げに言った。「スペインの男というのはだいたいにおいて、自分の奥さんのことがそんなに好きなわけじゃないのよ。男たちが結婚するのは、そのほうが好都合だと思うから」

フェイスはアニタ・フランクリンに対して哀しみを感じて、頭を垂れた。彼女が九歳と九カ月のときにほとばしらせた血は、五学年と六学年の女の子たちみんなの活発な頭に、生命と希望をしっかりと焼きつけたのだ。アニタ・フランクリン、と彼女は心の中でつぶやいた。あなたはこれから一人きりでやっていけるかしら？　あなたは夜によく眠れるかしら、ニュー・ユトレヒト高校でいちばんセクシーだったアニタ・フランクリン？ 最近の調子はどう？ あなたはもう、頭のいいアーサー・マッサーノに抱かれることもないのね、才気煥発な南欧系ユダヤ人《セファルディム》の学者にして先生に。今では時間があなたの身にのしかかってくる。あなたの唇にかさねられるハンサムで素敵なアーサーの口でもなく、頭の切れるボーイスカウトの燃えさかる指先でもなく、時間が……。

まさにこのときに、宙に浮かんだリカルドの影が、彼女の左目を親指でぐいと衝《つ》いた。そしてフェイスがまわりにめぐらしている排水溝がどれくらい底の浅いものかを、世界じゅうに向けて露わにしてしまった。このたった今、彼女の肉体のテラスには、米の苗を植えることもできただろう。そしてそれはきっと、その瞬間から午後を通じてずっと彼女を圧倒し続けた洪水の中で、美しい穂を力強く実らせたことだろう。自分自身とアニタ・フランクリンのために、フェイスは頭を垂れて、すすり泣いた。

「もう帰るのかい、フェイス？」と父親が尋ねた。彼の可愛らしい小鳥のような頭が、太陽の光がまだらになっている部屋の中に突っ込まれていた。その飛び出した瞳の色は淡い青だ。彼はハンサムとは言えない。はっきり言えば醜い。自分たちの誰ひとりとして彼に顔が似なかったことについて、フェイスはしばしば生殖の神様に向かって、遺伝の女神に向かって、すべての核酸の創造主に向かって感謝したものだ。チャールズでさえ父親には似ていなかった——彼くらいの背丈があれば、どんな顔だってべつに関係ないようなものなのだけれど。彼らはみんないくぶんチュートン系の顔立ちをしていたが、それはずっと自分のことをドイツ人だと考えている祖母の血筋だった。どちらかというと色白で釣り合いのとれた顔立ちである。ただチャールズに関して言えば、顎が人目をひいた。人々はよく大事な折にチャールズに最終的な意見を求めたが、それは彼の顎のかたちのせいだったし、チャールズ自身も他人のために意見を与える方法を身につけた。まずは鋭い診察、次に不可避の治療、即座にもたらされる健康、というわけだ。実際の話、彼の同僚の偉い先生方も、奥さんの下腹部の具合が悪くなると、しばしばチャールズのところに相談に来たものだった。彼は死ぬまでにはきっと名をなしていることだろう。ミスター・ダーウィンは彼が早く有名になることを望んでいたが。というのも一家には長生きする人間が少なかったからだ。

さて、この目の飛び出た、青白いとんがった口もとをしたフェイスの父親は、午後の日差しがガラス越しに照りつける部屋を急にのぞきこんだものだから、娘が涙を流しているところにも、あるいはまた唇を嚙みしめているところにも、うまく目の焦点を合わせることはできなかった。けれど、椅子から立ち上がって、クローゼットの中の上着を探しているフェイスの姿は見えた。

「どうしても帰らなくちゃならないのなら、そこまで送っていくよ、フェイス。だってずいぶん長くお前にも会っていなかったしね」と彼は言って、廊下に引き下がり、そこで待った。そうすることでミセス・ヘーゲルシュタインの有無を言わせぬ磁力の円周の外へと逃れたわけだ。

フェイスは母親にキスをした。母は娘の湿った耳の中に小さくささやいた。「しっかりしなさいよね。へたりこんじゃいけない。あんたはこれから二人の赤ん坊をしっかり育て上げなくちゃいけないんでしょう」。フェイスはまたミセス・ヘーゲルシュタインにもキスした。なぜなら彼女たちはそのような育てられ方をしたからだ。人の気持ちを傷つけてはいけない。とりわけ相手が自分を嫌っているような場合には。そしてまた相手が自分よりずっと年上であるような場合には。

フェイスと父親は薄緑色の廊下を、にぎやかなロビーまで一緒に歩いた。身なりの良い、明るい顔つきをした家族たちが、人生の使命を終えた老人たちの隣に座って二十分を過ごすために、続々とロビーに入ってきた。受付のそばではロシアにいるユダヤ人についての激しい政治的議論が繰り広げられていた。フェイスはそれには注意を払わず、深く息をつきながら玄関に向かった。顔がくしゃくしゃになっていたから、フェイスはずっと父親の先に立って歩くようにつとめていた。「おいおい、そんなに急がなくてもよかろう」と彼は言った。「そんなに急ぐものじゃない。私はここのみんなみたいによぼよぼのおいぼれでもないけれど、かといって元気はつらつというのでもないからな」

男らしく、彼はフェイスの腕をとった。「なにか良い話はないのかい？」と彼は尋ねた。「知らせがないのは良い知らせ、というわけかな？」

「じゃあな、チャック！」、頭上に見事な筆記体で〈ユダヤの子どもたち〉という字があしらってある鉄の門を通り過ぎるときに、彼は誰かに声をかけた。「ははは、だね」と父親はフェイスの肘をもっと強く握りながら言った。「まったく大の大人の名前がチャックなんてな」

彼女は後ろを振り返って、大きく微笑んだ。特大の微笑みを送りたかったのだけれど、今の彼女に用意できるのはただの「大きな」やつだけだった。

「聞いてくれ、フェイス。私は詩をひとつ書いたんだ。お前に聞いてもらいたい。実はイディッシュ語で書いたんだが、頭の中で翻訳しながら読むからな」

子供時代も過ぎ去る。
青年期も。
そして人生の盛りも過ぎ去る。
老年も過ぎ去る。
我が娘よ、老年だけがちがうと、
どうしてお前は、そう思うんだい？

「さあどうだね、フェイス？　お前は絵描きやら作家やらをたくさん知っているんだろう」

「なんて言えばいいのかしら、パパ？」、彼女は立ち止まり、そこにじっとしていた。「たいしたものじゃない、お父さん。それってなんだか俳句っぽいダビデ詩篇みたいに聞こえるわ」

「良いと思うかい？」

「素晴らしいじゃない。見事だわ」

「なあ……いいかい、お前にほんとうに気に入ってもらえるのなら、私は政治活動なんて投げ出してしまったっていいんだよ。私はこのごろになって、いささか途方に暮れているんだ。人生の変わり目なのかね。おい、笑わないでくれよ、フェイス。お前だっていつかは、こういうことを同じように通過しなくちゃならないんだからね。人生から学べ、さ。私の人生から。私はずっと、援助の手を組織化しようとしてきた。つまりさ、守衛だとか、エレベーター・ボーイだとか——まあおもに黒人だ。お前も知ってのとおり、彼らは今や社会の表舞台に進出しようとしている。もちろんそうなるように希望はしていたけれど、私が生きているうちにそんな状況がほんとうに実現するとは、正直言って予想もしなかったね。戦争の功績と言うべきだろうな。どう思うね、フェイス？　戦争はユダヤ人をアメリカ人に変えて、黒人をユダヤ人に変えたのさ。はははは。こいつは記事になるんじゃないかな。『黒人。ついに外側に入れた人種』なんてね」

「誰かがそんなようなことを書いていたわ」

「本当かい？　みんな同じようなことを考えつくんだね。いいかね、私の頭はアイデアで満ちている。でもそれを話すべき相手が一人としていない。まあお前の母さんとはお互い馴れている。ただね、最近になって母さんにはなんだかおかしなことが起きているんだよ、フェイス。私たちはとても親密だった。というか、いまだにフレンドリーだ。だから変なふうにとられては困るんだが、おかしなことというのはね、実はお母さんは最近、女同士でしかつきあわないんだ。あの頭のおかしい、被害妄想、誇大妄想の、偏執狂のミセス・ヘーゲルシュタインと一緒にいたがるんだ。私はあの女にはとても我慢ができない。あの女に我慢できる男なんて、世界のどこにもいやしないよ。それでもちゃんと結婚できたんだものなあ。『ねえガーシュ、あの人には礼儀正しくしてちょうだいね』とお前の母さんは私に言う。礼儀正しくしているさ。私はいつだってご婦人方を愛してきた。いささか度が過ぎるくらいにね。しかしあのミセス・ヘーゲルシュタインときたら、朝の九時に私たちの部屋のドアをどんどんとノックするんだ。そしてこの私は昼飯時まで一人で孤児みたいになっちまう。あの女は魔術的なパワーを持っているんだ。どこにでもこっそりと忍んでいけるように、午後のあいだせっせと車椅子に油をさしてそなえているんだ。近づいてくる音も聞こえない車椅子の話なんて、お前聞いたことあるかい？　なあフェイス、私の言うことを信じてくれ。お前の母さんがあの女の中に見ているのは、ただのいんちき臭い謎っぽさなんだよ。いったいなんて言えばいいのかな、あの女は世界じゅうに向けた悪意の紙つぶてを詰めこんだ袋を抱えているんだ。ひねくれた恨みがましい人生をな」

二人は地下鉄の入口までやってきた。「もう行かなくちゃいけないわ、パパ。子どもたちを友だちのところに預けてきたのよ」

彼は黙った。そして笑った。「ああああ、おしゃべりのじいさんだ……」

「いいのよ、パパ。話せて楽しかったわ。でも子どもたちをお友だちのところに預けっぱなしにしているから」

「子どもたちが小さいときにはどういうものか、よくわかってるさ。家に縛りつけられているようなもんだ。私たちだってずいぶん長い年月、どこに行くこともできなかった。私は集会に出かけたが、それだけだ。お母さんを置いて映画に行って自分だけ楽しむというようなことを、私はしたくなかった。その当時はベビーシッターなんてものは存在しなかったしね。あれはたいした発明だよ。ベビーシッター。あれが発明されたおかげで、二人はいつまでも恋人でいられるというわけさ」

「ああ」と言って、彼は息を呑んだ。「いや、お前、悪かったね……」。フェイスは彼の叫び声にびっくりさせられた。というのはその痛みを感じる前に、既に彼女の目には涙があふれていたからだ。

「なるほど、そういうことか。お前は問題を抱えているんだね。家族を育て上げるのにはずいぶん厳しい世界を、お前は選んだようだ」

「もう行かなくちゃ、パパ」

「わかった」

フェイスは父親にキスして、階段を降りていった。

「フェイス」と彼は声をかけた。「近いうちにまた顔を見せてくれるかい?」

「ねえパパ」と彼女は階段の四段下のところから父親を見上げて言った。「もう少し幸福になってからじゃないと、ここには来られないわ」

「幸福!」、彼は手すりから身を乗り出して、フェイスの視線を捉えようとした。しかしそれは簡単ではない。目というものは生まれついての逃げ上手であり、悪しき地点からの抜け道をすっかり承知しているからだ。「そう勝手なことを言うものじゃないよ、フェイス。たまには子どもたちを連れてきてくれ」

「だってうるさいわよ、あの子たち」

「子どもたちを連れてきてくれ、スイートハート。私はあの子たちの異教徒風《ゴイ》の顔立ちが好きなんだ」

「わかった、わかった」と彼女は言った。すぐにでもここを離れたかったのだ。「そうするわよ、パパ。そうするから」

ミスター・ダーウィンは手すり越しに手を伸ばして、彼女の指に触れようとした。彼はその指を強く握りしめ、娘の涙に濡れた頰に触れた。そのとき彼はうなった、「ああ……」。それは吐き気、あるいは消化器の極度のむかつきの炸裂だった。フェイスは父親の貶《おとし》められた顔に浮かんだ老いから顔を背《そむ》け、家に帰ろうと地下鉄の階段を駆け下り始めたが、そのときには既に父親のほうが娘の汗ばんだ手を離し、顔を背けていた。

Gloomy Tune

陰鬱なメロディー

ほとんど誰もが知っている、ある家族がいる。この家族には子どもたちがいる。名前はボボ、ビビ、ドゥーディー、ドド、ネディ、ヨーヨー、ブッチ、プトプト、そしてビープ。

何人かは女の子で、あとは男の子だ。

女の子たちは、まわりの母親たちにとってはこすからいベビーシッターである。男の子たちは軍隊に入ろうと考えている。

二人の年かさのこすからいベビーシッターは、しょっちゅうパーティーにでかける。時折、人々の神経を逆撫でする。彼女たちはそうするのがほんとうに好きなのだ。

彼らは非常に了見の狭い人たちである。意見なんてものは持ち合わせていないのだが、それでも自分たちが正しいと考えたがる。他人の意見になんか、まず耳は貸さない。

ドド、ネディ、ヨーヨー、プトプトは、代わる代わる順番に、学校でシスターたちをヒステリー状態にした。シスターたちは彼らに見切りをつけないわけにはいかなかった。兄弟たちは手に負えないという理由で、彼らが本来行くべき場所に放り出された――公立学校に。

四歳くらいになると子どもたちは、ガラの悪い言葉を覚えることで、まず悪に染まった。それが出発点である。

最初が「あほたれ（アス）」だった。その次に「畜生（ビッチ）」、それから「ど畜生（ファッキン・ビッチ）」。それがもう少し大きくなると「クソど畜生（マザファッキン・ビッチ）」になった。さらに延々と続くのだが、これ以上はいちいち書く気になれない。

そのシスターは最初は厳格だった。すごく腹を立てたし、氷のように冷ややかだった。彼女を責めるのは酷だろう。彼女は母親になったこともなかったのだ。子どもを持ったこともないし、そういう類のこととは無縁だった。

彼女は厳格だったし、また厳格になるだけの正当な権利もあった。言うまでもないことだが、家庭内に厳格さが欠けていることこそ、生意気さや図々しさのほんとうの理由なのだ。

それからシスターは、親切な態度もためしてみようと思った。彼女は優しく語りかけた。彼女は暇な時間があれば、隣に座って話をした。とくにネディと。彼はすごく可愛かったからだ。シスターは彼が算数を覚えるのを手伝ってやった。

彼女は良い人だった。彼女はヨーヨーにチェッカーを教えた。しかし彼はそれに気持ちを集中させることができなかった。親切さが功を奏さなかったときには、そのたびに彼女はこう言わないわけにはいかなかった。「学校にできるのはここまでです。申しわけありませんが、ここから出ていってください。神のご加護がありますように。あなたには素晴らしい教育を受けるだけの資格がありません。あなたの後ろには、このチャンスを受けることを望んでいる人たちがたくさん並んで待っているのです」

彼女は彼らの母親に会いに行った。母親は仕事に出る前に、大急ぎで洗濯を片付けているところだった。いったいどうなっているんでしょうね、シスター、と母親は言った。近所に越してきたタフな子どもたちとつきあうようになったんです。どんな連中だかおわかりでしょう。

「おやおや」とシスターは言った。彼女は毎度毎度意地の悪い噂話を聞かされることにうんざりしていた。「おやおや、私たちはみんな等しく神の子なんじゃありませんか、奥さん。一人残らず？」

母親は何も言わなかった。シスターにはぜんぜんわかっていないんだと彼女は悟ったからだ。ごたごたと隣りあわせで暮らすというのがどんなことなのか、この人にはわかりっこないんだ。

シスター、えーと、すいません、と母親は言った、プトプトをちょっと見てていただけませんか？　すぐにボボが帰ってくるはずです。あとはあの子がやります。私はこの仕事にもう四回も遅刻しているんです。もう行かなくちゃなりません。お願いです。いったいあの娘は何をやっているんだろう？　近頃のハイスクールときたら、まったく何がどうなっているんだか。シスター、あなたがお仕事でいろいろとお忙しいことはよくわかっているんですが。

急いで行かれたほうがいいですよ、とシスターは言った。彼女は汗をかき始めていた。ああ、ネディのことはお気の毒でした。ヨーヨーのことも。あの子たちを私たちのところに留めておければどんなによかったでしょう。

もちろん公立校はあのとおりのところだから、子どもたちはまともになんかなれなかった。ますます悪くなっただけだ。こんな口のきき方をするようになった、「とうちゃんのちんちんしゃぶってな」とか。何を言っているのか、自分たちでもよくわかってはいなかったのだと思う。

あの子たちは盗みはしない。ちっぽけなナイフを持っているだけだ。あの子たちはすべり台でみんなを押したり、遊び場でこづきまわしたりはする。でも人を殺したりするようなことはないと思う。

彼らは罵ったり、やられたらやり返したりする。でもたいていは相手が先に罵ったり、手を出したりするのだ。罵り返し、やり返す権利はあるはずだ。

ある日（まあ早晩そうなってはいただろうが）、チュチ・ゴメスがこぼれていたオリーヴ・オイルに足をとられて滑った。ある奥さんが瓶を落として割ってしまったのだ。彼女は割れたガラスは集めたけれど、オイルについてはそのままにしておいた。たとえ私が同じ立場におかれたとしてもやはり、オイルまではどうしたらいいかわからなかっただろう。

チュチは後ろのヨーヨーを振り向いて言った。この野郎、なんだって押しやがるんだ。

誰も押してねえよ、このタコ、とヨーヨーは言った。

このクソぼけ、お前が押したんだ。俺は肩にお前の手を感じたんだ。お前が押したんじゃねえか。

よせやい。押してねえものは押してねえんだ、ヨーヨーは言った。お前が押すのが見えたんだよ。お前の押すのを感じたんだよ。俺のことをなめんじゃねえよ、このカスが。

なにがカスだ、この野郎。お前、俺のことをカスって呼んだな。

ああ、とチュチは言った。お前なんてな、マザファッカーのカスじゃねえか。

マザファッカーのカスって、お前今言ったな。

おお、言ったぞ。何度でも言ってやらあ。お前にもこのオイルが見えるだろう。何度でも言ってやら。

それでヨーヨーは頭にきた。というのは、彼とチュチは日曜日にドックにウナギを釣りに行く予定だったからだ。しかし彼はもう今では、チュチと一緒には何もできない。

だから彼は大声で叫んだ。母ちゃんの名前をな、お前になんか持ち出されたくねえんだよ、この罰当たりのチュチ・ゴメス。わかったか。お前の家族なんて、そろいもそろってクソみてえな外道じゃねえか。父ちゃん、母ちゃん、エディーにラモン、リリ。親戚一同、お前のばあちゃんだってそうだ。

それから彼は釘が二本突き出した板を拾って、それでチュチの肩を打ちつけた。

そこはそんなに血が出る場所ではない。でもオイルもついていて、血が流れていたから、もし酢が少々あればチュチのピックルスでもつくれたかもしれない。

それからチュチが思わず悲鳴をあげた。おい、俺を殺すつもりかよ。彼は走って家に帰った。世話をしてくれている祖母のもとに。

チュチが戻ってきたとき、祖母はベッドに横になっていた。そして叫んだ。私はこのひどい国で、もう何も見たくないよ。お願いだ、誰か私を殺しておくれ。

いや、ちがうんだよ、ばあちゃん、そんなこと言わないで。俺が悪いんじゃないんだ。あいつが始めたんだ。だから病院に連れていってくれよ。

彼の祖母は、こんなに年をとったというのに、ほんのちょっと横になって好きにわめくこともできないことにうんざりしてしまった。でもチュチを病院に連れていかないわけにはいかなかった。病院でチュチは破傷風の注射を二本ばかり打たれた。

というような次第で、ヨーヨーはナイフの使い手として名を馳せることになった。グリニッチ・ハウスからハドソン・ギルドにかけて、彼の名前が人々に知れわたる。怖いもの知らずで、どうしようもないやつだと。

学校では彼は毎日、男女を問わず、すべての生徒たちから祈りを受けている。

Living

生きること

クリスマスの二週間前にエレンが電話をかけてきた。「フェイス、私死にかけてるのよ」と彼女は言った。その週は私も死にかけていた。

話をしたあと、私はますます気分が悪くなった。私は子どもたちをほっぽりだして、角まで走っていった。元気の良い人々に混じって一杯ひっかけようという心づもりだったが、〈ジュリーズ〉をはじめとしてどこのバーもメイク・ラブにとりかかる前にホット・ウィスキーをあおっている男女でいっぱいだった。

人々は人生の営みの前に景気づけを必要としているのだ。

私は家でカリフォルニア・マウンテン・レッド・ワインを一杯飲み、こう考えた。まったくどこを向いても「自由を与えろ、さもなくば殺してやる」とか叫んでいる連中ばかりだわ、と。そう思いたくもなる。非のうちどころなく分別があり、財産もあり、神を敬う隣人たちははらわたを摑みとられないようにサイレンの音に耳を塞ぐ。やぶにらみの目でなくては愛することはできないし、窓の外の氷のように冷えた通りを見るためには盲目にならなくてはいけない。

私は死にかけていた。私は出血していた。医者は言った。「永久に出血することはありません。血が出つくすか、どこかで止まるか、どちらかです。永久に出血するってことはありえない」

私の場合には永久に出血するみたいに思えた。エレンが電話をかけてきて死にかけていると言ったとき、私ははっきりとこう言った、「お願い！　私も死にかけてるのよ、エレン」

すると彼女は言った、「ああ、フェイス、ごめんなさい。知らなかったわ」。そしてこう言った、「ねえ、フェイス、私たちどうしたらいいの？　子どもたちのことよ。誰が子どもたちの世話をするのかしら？　それを考えると、たまらなくなる」

私もそれを考えると怖かった。でも私がとりあえず望んでいるのは子どもたちにバスルームに入らないでほしいということだけだった。子どものことなんて考える余裕もない。自分のあれこれで精一杯だった。子どもたちは本当にうるさかった。学校からやたら早く帰ってきて、わあわあ騒ぎまわった。

「私あと二カ月くらいしかもたないかもしれないの」とエレンは言った。「私くらい生きようとする意志が希薄な人を見たことないってお医者は言うの。私は生きたいと思ってないって彼は考えているのよ。でもね、フェイス、それはちがう。私生きたいのよ。私はただ怯《おび》えているだけなのよ」

私は出血のことがずうっと頭を離れなかった。急激な血の流出は私の瞼《まぶた》の下の赤みを取り去り、頰の日焼けを消し去っていた。それは私の冷えた爪先から上がってきて、われがちに体の外に出ていこうとしていた。

「人生なんてろくでもないものよ、エレン」と私は言った。「安っぽい毎日、安っぽい男たち。金もなくて年じゅうぴいぴい言って、家はゴキブリだらけ、日曜日には子どもたちをセントラル・パークに連れていって小汚い池でボートを漕ぐだけ。こんな人生何が惜しいのよ、エレン。あと二年生きて子どもたちやらこのごみため状態がどうなっているのか見てごらんなさいよ、きっと世界じゅうのチーズの穴がぼうぼうと火を吹いて燃えあがっているわよ」

「そういうの見たいのよ、ちゃんと」

血がごぼっと出て、頭がくらくらした。

「しゃべれない」と私は言った。「気を失いそう」

クリスマスのシーズンに入って、私の体は萎《しな》びてきた。妹がしばらく子どもたちを預かってくれたので、私は家で静かにして、誰にも邪魔されずにヘモグロビンやら赤血球やらを作っていた。おかげで新年を迎える頃、私の体は立ち直っていて、危うくまた妊娠までするところだった。ちびっこたちが家に戻ってきた。彼らは背が高くてハンサムだった。

クリスマスの三週間後にエレンが死んだ。バワリーのとても小綺麗な教会でおこなわれた葬儀の場で、彼女の息子は涙を拭いながら私に言った。「大丈夫だから心配しないでね、フェイス。母さんはちゃんといろんなこと手配しといてくれたから。働き先でお金を残しておいてくれたんだ。そこの人が来て、教えてくれたんだ」

「でもうちで引き取って養子にしてもいいのよ、どう？」と私は訊いてみた。彼がもしそうしてほしいと言ったら、そのお金やら部屋やらおやすみの挨拶がのびる十分の時間やらはいったいどこから工面すればいいのかしらと思い悩みつつ。彼は私の子どもたちより少しだけ年上だった。彼はほどなく立派な百科事典やら化学実験セットやらを必要とするようになるだろう。「ねえいい、ビリー？　正直なこと言って。うちの養子になりたい？」

彼はすっかり泣くのをやめた。「ああ、ありがとう。でも、いいんです。スプリングフィールドに叔父がいるから。そこに行くことになってるの。だから大丈夫。田舎でね、従兄弟もそこにいるんだ」

「そうなの」と私はほっとして言った。「あなたのこと愛してるわ、ビリー。本当に素敵な子だもの。エレンもあなたのことそれは誇りに思ったでしょうに」

彼は一歩下がって言った、「死んだらもう何も思わないよ、フェイス」。そして彼はスプリングフィールドに行ってしまった。彼に会うことは二度とないだろう。

　でもときどきエレンとすごく話がしたくなる。結局のところ私はこのおぞましいひっそりとした年月の間に彼女とともに実にいっぱいいろんなことをしてきたのだ。私たちはセントラル・パークじゅうのあのろくでもない岩の上に子どもたちをのせた。復活祭の日曜日には私たちは青いポスターの上に白い鳩をはりつけ、八番街で平和のために祈りを捧げた。それから私たちは疲れはてて子どもたちを怒鳴りつけた。息子たちはまだ赤ん坊だった。冗談で私たちは子どもたちのスノースーツをスカートにホッチキスでとめた。そして自分たちの奴隷のごとき境遇に腹を立てて、しばらくのあいだ毎週土曜日になるとマンハッタンと世界を結ぶ橋を、そんな格好で行進した。私たちはアパートや仕事や威張りくさった男たちを共有した。そうして、クリスマスの二週間前に私たちは死にかけていた。

Come On, Ye Sons of Art

来たれ、汝、芸術の子ら

ザンダキスが笑みを顔に浮かべるところときたらな！　とジェリー・クックは言う。ニュージャージーでも最も大きな大司教管区が、あいつの掌の上にある。内気そうな聖人たち、あらゆる種類の聖遺物、間抜けな女たちによって祝福を受ける着彩された修道僧、悲嘆にくれるマドンナたち。

朝の一時間をキティーに与えながら、彼は言う。アメリカのいたるところで、ニュージャージーとロング・アイランドで、人は、神のことを考える。そして神様について、とジェリー・クックは言う、俺は夢見るんだ。

寝返りを打って、じっと見つめながら、彼はさらに続ける。ああ、金のことに限って言うなら、俺は支配者たちを愛するね。そしてなベイビー、認めるんだね、支配者とは科学者のことなんだ。やつらは加算し、積算する。そのあとでやつらは水をふくませ、重さを量る。やつらは芸術家なのさ。やつらは普段はこっそりと身をひそめている。やつらは風呂につかって微笑んでいる。そしてそのあいだに東海岸じゅうの皮革製品産業が、やつらの歯のあいだのカスの中からすくすくと育っていくんだ。やつらはブルドーザーだ。どんなに不景気だろうと、ユダヤ人のエキスパートが二人いれば、哀れなシリア人の二十五人が寄ってたかっても勝ち目はない。ひとりのおいぼれのギリシャ人、こいつは半分眠っているんだが、それでも五十人のユダヤ人にその大理石の双肩をもたせかけている。あっという間に、十万個のプラスチックのブリーフケースが、ニューヨークの〈ウールワース〉でバーゲン箱に放り込まれているよ。日本人については何も言うなよ。

どうして？　とキティーは尋ねた。

俺はね、とジェリー・クックは言った、相手がたとえ誰であろうとも、日本人については何も言わんことにしてる。

クックの雇用主はグラッドスタインだった。彼はニュージャージー州の主要道路じゅうに、おそらくは二十八万五千個くらいのすべて現世的な品物を卸す得意先を持っていた。オレンジ・カウンティーであなたが安物の財布を見かけることがあったら、それはジェリー・クックがそこに置いたものだ。

でもグラッドスタインとザンダキスじゃ、比べものにもなりゃしない。ザンダキスときたら、まったくの話、聖霊の小指と、東方正教会の御利益を受けている。ほら、グラッドスタインを見てみろよ。あの脂じみた天才のかげでせかせかと働いて、縦横二十ヤード、六十ヤードのフラッシングの宅地を、女房の甥たちにまったくの捨て値で与えている。間抜けのグラッドスタインは台湾のことも眼中にない。実はおっかない海に乗り出しているというのに、自分じゃセントラル・パーク・レイクの上にいると思いこんでるのさ。彼は月に一度、見栄のために、高楼で（それは、七番アヴェニューとブロードウェイという二本の黒い潮流を見おろす二十階建てビルのペントハウスである）ダンス・パーティーを開く。戦争中、彼はオールドミス好みのセーターのボタンを、士官の金ボタンに転換した。そして彼の中で精神的安定というものが――指先にいたるまで――ダムダム弾みたいにぼんと破裂した。今では彼のパーティーには電話交換の女性たちも加わっているし、キーパンチャーの女性たちも加わっているし、速記者たちも、かっこいい経理係たちも加わっている。彼はジェリー・クックまでそこに加えている。とてもデモクラティックだ。

　姻戚連中が彼のことを大いに愛し、彼をすりつぶして乾物に変えているまさにその最中に、ザンダキスがどのようにしてグラッドスタインをひきずりこんだか、それはあのこうるさいカール・マルクスにしかわからない。あっと言う間もなく、三十二万五千個のジッパーつきの小さな婦人用本革小銭入れが、飢えたる「孤独夫人《ミセス・ロンサム》」たるジャージーの消費者の口に詰めこまれた。
ザンダキスを妬む心と、グラッドスタインについての痛みが、ジェリー・クックの心を苦々しい思いで満たした。

ビジネス！　と彼は言った。お前は俺がビジネスをやっていると思っている。お前はグラッドスタインがビジネスだと思っている。フルトン・ストリートのプラスチック鋳型と、フロレンス風のしおりのことを。お前は煙草を入れるポーチをビジネスだと思っている！　彼は爪を嚙んだ。

ちがうね！　でもダイアモンドは別だ！　キティー、俺にこう言ってくれ、ダイアモンドってひとこと言ってくれ、彼はそう言った。

オーケー、ダイアモンド、と彼女は言った。

うん、それでいい。それがビジネスというものだ。俺はそれをビジネスと呼ぶね。俺はダイアモンドをやらなくちゃな。キティー、そいつは事実だ。ばあさん連中だよ。うまくサラミをすべりこませてやれば、連中はそれこそ何だって買っちゃうんだ。いたるところでそういう話を聞いた。

ダイアモンドなんかに手を出さないで、とキティーは言った。

ああそうだろうよ、と彼は言って、枕に一発ラビット・パンチをくれた。お前が考えていることはわかるさ、キティー。お前もほかのみんなと同じなんだ。みんな地球は丸いと思いこんでいるんだ。でも俺の姉貴はちがう。アンナ・マリーは、そういう連中とはちがう。本当の形がどんなだかを、ちゃんと知っている。アンナ・マリーは、まともに生きていた。姉貴がまだ子どもの頃に手にしたのは、つまりうちの父親がまず手始めに与えたのは、ほんの小さな工場だった。刺繍だ。がらくただよ。でも彼女は頭が切れて、根性曲がりで、そして物事が見えていた。俺の二人の兄貴も根性曲がりだった。とてもとても、根性が曲がっていた。やつらの女房たちも、やはり根性曲がりだった。たった一人だけ根性が曲がっていなかったのが、つまりまっとうで間抜けだったのがいた。ちょうどお前と同じようにだよ、キティー。キティー、キティー、と彼は言って、彼女を抱き寄せて短いキスをした。それはアンナ・マリーの亭主だ。あの男は終始間抜けでまっとうだった。でも連中は、今ではあの男も引きずりこんで、すっかりがんじがらめにしてしまった。あの男を解きほぐしてやるなんて、たとえ八月に始めたとしても不可能だ。

なあキティー、お前みたいな人柄なら、きっと何か商売を始められるよ。たった一年でいいから、何か売り買いするんだ。それがうまい手なんだ。

でもあいつらはみんな盗人なんだ。ベイビー。俺の兄貴たち。そうそう、連中は以前、有名な建築会社の下で働いていたんだ。プラニット・ブラザーズっていう名前で、名の知られたところだ。何百万ドルの仕事さ。お前はリアリティーというものを知らない。なあキティー、百万ドルというのがどういうものなのか、もしお前にわかってないのなら（それは1のあとにゼロが6個つくんだよ）、お前はお呼びじゃないってことだ。それは「プラニット・コーナー・コッテージズ」って言った。「すべてのコッテージが角地に」というやつだ。要するに一ブロックを短くしただけだったんだが、やつらはたっぷりと政府から金をかすめ取った。だから何だ？　政府って、誰のためにあるんだ？　国民のため？　そうさ、キティー、そのとおりさ。そしてプラニット・ブラザーズだって立派な国民なんだ。とても大きなファミリーなのさ。

男の兄弟が四人に、女の姉妹が三人、地下室の梁《はり》を使ってもバース・コントロールになんか触りたくないという連中だ。正教会派《オーソドックス》だ。建設的ファッキング、まさに建築業者だよ、ベイビー。

その一方で、俺の兄貴のスキッピーときたら、四万ドルだなんて言いやがる。冗談じゃないぜ！　なにが四万ドルだ。銀行に訊いてみろよ。銀行に行ってみろよ。あいつら四万ドルなんてびりびりにちぎって、それを足でばんばん踏みつけちまうさ。その上に唾だって吐きかけるさ。そして大笑いするだろう。基礎の杭を一本打ち込みたいと思うとするね。それだけでたぶん一万二千はかかっちまうだろう。それは地面にすっぽりと消えちまうのさ。地下に潜って、はい、さようならだ。

でもよく聞けよ、キティー。アンナ・マリーは抜け目がない。**あの女は頭というものを持っている**、ジェリー・クックはそう叫んだ。ベッドから勢いよく跳び出て、人差し指で自分の頭をとんとんと叩いた。アンナ・マリーは俺の兄貴たちに向かってこう言う、あんたたち、いいこと、プラニット社で働いているあいだに、何かを持ち出してくるんだよ。一度に少しずつでいい。あまり欲を出さないように。でものろのろしているんじゃないよ。世界は卵なんだよ、ぼけなす。中身をすするんだ。混じりけなしの蛋白質だよ。心臓に脂肪がたまったりはしない。心身症にはなるかもしれない。でも脂肪はつかない。

ジェリー・クックは溜息をついた。彼は消耗したみたいにばたんとベッドに倒れこんだ。そしてキティーの柔らかな乳房に向かって柔らかく話しかけた。何かを持ち出してこいって、アンナ・マリーは言ったんだ。流し台、ボイラー、レンジ、洗濯機、どんどんためこむのよ。ゆっくりとね。俺たち、それをどこにためこめばいいんだい、と兄貴たちはそこで質問した。いったいどこに？

あいつらはそう尋ねた。それが俺の兄貴たちだ。俺はその場にはいなかった。俺はその話に加わってはいなかった。なあキティー、どうしてだろう、と彼は哀しそうに言った。俺だって根性が曲がっているのにな。

たしかにそうよね、とキティーは言った。

あんたたち見てるとまったく気分悪いよ、とアンナ・マリーは言った。それについてはもう私がぜんぶ手をまわしているんだ。姉貴は本当に手をまわしていた。品物をこっそりと保管しておく場所をしっかり用意していたのさ。倉庫をひとつ買い取っていたんだ。競売でな。それ以外にいったいどこで手に入れるっていうんだ。

同額！　同額指し値！　競売人が叫ぶ。二十五万ドル、とこすっからそうな男が大声をあげる。ほとんどまったく同時に、別のこすっからそうな男が、二十五万ドルと大声をあげる。なんと！　と競売人が槌《つち》を打ちつける。ばん。同額指し値！

私はそんな話、聞いたことないわ、とキティーは言った。

お前はカラにこもっていたのさ、とジェリー・クックは言った。俺の姉貴はやつに、マーヴに、こう言った。あんたって、まったく豚みたいに見えるわね。ちんぴらみたいにも見える。でも競売人みたいには見えないよ。自分ではいったい何に見えると思ってるのよ？ ちょっと言ってみて。間抜け、とマーヴは言う。笑う。言えるわね。間抜け。ねえいい、マーヴ、この倉庫を七万ドルで私に手に入れさせてよ。そしたらあんたに七千と、オールズモビルを一台あげる。きれいな車よ、ぴちぴちの馬みたいにね、と彼女は言う。あんたの奥さんがろくでもないタコだってことはよく知っているよ。あれだってやってくれないんでしょ。だからさ、ぐっといい目にあわせてあげるよ。あんただって、ちっとはばりっとしたなりをしたいんじゃないの？ それでやつはすぐにその気になってしまう。はっはっは、息だって荒くなる。もうやれるような気になってるんだ。何だって？ 姉貴が？ まさかまさか。アンナ・マリーに限って、それはない。姉貴はそういうタイプじゃないんだ。とんでもない。でも相手はね、まあ勝手にそう考えるわけだ。

俺の兄貴たちは言う、いいとも、女を紹介してやろう。可愛いブルネット、ブロンド、赤毛。ブルックリンあたりの娘っこたちだ。わかるだろ？ とにかくアンナ・マリーはそんなことには関わらない。そういうことするには頭が良すぎる。私はローストビーフを売ってるわけじゃないのよ、スキッピー、と彼女は兄貴のスキッピーに向かって言う……。

もちろんそんなことやっちゃいないさ！　アンナ・マリーはどんなビジネスだって、好きに選ぶことができた。彼女はうちの親父とお袋から学んだのさ。彼らはコツを知っていた。しかし何かをする時期になったとき、彼女は何をしたか？　彼女は空を見上げたんだ。そこは空っぽだった。そこに自分の名前を輝かしく大書せずして、どこにすればいい？　ああ、アンナ・マリー。高層ビルだ！　彼女は言った。ああ、彼女は何だってやりたい商売を選ぶことができたんだ。パリで尻《ケツ》を売ることもできた。スウェーデンで金髪女を動かすこともできた。根性が曲がってるんだ、とジェリーは言った、彼の心臓は喉元で気が触れたように跳ねていた。彼はまっすぐ身を起こした。高層ビルだよ！　イーストサイドに、ノースサイドに。デモクラティックだ。姉貴はハーレムにもひとつぶっ建てた。名前も自分で付けた。黒んぼたちのことを理解してるんだ。いや、お前が考えているようなことじゃなくてさ、キティー。あいつらのことがわかってるんだ。彼女には先のことが見える。アンナ・マリーにはな。十年先に、二十年先に自分が誰と取引しているのか、ちゃんとわかるんだ。人生は姉貴の前に広く開けていた。「ニューヨーク・タイムズ」を見れば、それでいいんだ。社説のところをな。彼らが誰を支持しているか。それからビジネスに取りかかるんだよ。

奴隷解放で有名な女の名前をとって、ハリエット・タブマン・タワーズ、それが名前さ。二十七階建てだ。セントラル・パークと、マディソン街と、グッゲンハイム美術館が見渡せる。もし裏側に住んでいたとしたら、そこから見えるのはハーレム川と、何本かの橋と、サウス・ブロンクスと、百万にものぼる奴隷たちだ。

植民地時代的パワーをここに込めたのよ、と姉貴は言う。しかしそんな名前をつけたおかげで、商売はいまいちだった。それで彼女はもうひとつ新しいのを、もっと西の方に建てているところだ。名前は既につけてあるんだ。ぐっと黒っぽいやつさ。オニキス・ホールとか、スフィンクス・ファウンテンとか、小さな「クレオパトラの針」とか（こいつを遊び場に立てて、子どもたちがそれに登るわけだ）。エジプト、彼女はその建物をそう呼んでいる。みんなその名前を気に入っている。彼女は、アンナ・マリーは、名前が決まるまでは、建物を建て始めないんだ。ヴィレッジなんかでよくあるだろう、セザンヌ、ヴァン・ゴッホ、サン・ジェルマン……くだらねえ、短期賃貸、譲渡、二年目の空室……彼女は地元の新聞を読む。「ヴィレジャー」「ヴィレッジ・ヴォイス」。彼女はくんくんと嗅ぎまわる。アンナ・マリーは抜け目ない女なんだ。静かに、彼女は建築業者の顔をじっとのぞきこむ。で、名前を決める――フランツ・クラインってやつだ。そして計画を公表した明くる日には、もう申し込みが殺到ということになるんだ。

お前も何か商売を始めるべきだよ、キティー。お前は抜け目ないとはいえない。でもお前は気だてがいいし、心が広い。それは大きな長所だ。百万長者にはなれないかもしれないが、こんなしけたところから出ていくことはできる。お前の子どもたちだって、ここにいちゃしょうがないよ。どこを見まわしても、黒んぼとか、スペイン系とか、色つきのやつらばっかりじゃないか。いや、俺はなにもあいつらのことを悪く言ってるんじゃないぜ。でもな、君子危うきに近寄らずって言うじゃないか。

キティーは唇に指を立てる。しいっと彼女は言った。私は気だてがよくて、心が広いんだから。

よせやい、キティー。お前は三等船室から出てきたばかりのユダ公が好きだったか？あいつら臭かったぜ。あのユダヤたちときたら、隣の区からだってぷんぷん匂った。にんにく畑みたいな髭をもしゃもしゃとはやしてさ。しょうがないじゃないか……あの当時のヨーロッパときたら……ヨーロッパはお話にならなかったのさ。今ではそういう連中と一緒のジムに通うことだってできる。今じゃみんな、ヨーロッパの糞づまりのことなんてすっかり忘れちまっているんだ。

でもな、いいか、キティー、俺の姉貴は昔こう決心したんだよ、高層ビルで行こうってな……。

誰が？　とキティーは言った。何を決心したんですって？

俺の姉貴が、決心したんだよ。高層ビルだって。自分の将来はそこにあるって。空高くさ。姉貴はスキッピーを呼びつけた。銀行を呼びつけた。彼らはそれぞれに自分の車に乗り込んで、倉庫へと向かった。投資となれば、なんといってもまず担保物件だ。倉庫はジャージーにあって日当たりもよく、建物はきれいで、まわりには芝生が植えられている。裏手は湿地で、四方を鉄条網で囲まれ、用心のために電流まで通されている。

警備員も一人詰めていて、窓ガラスはぴかぴかだ。銀行の人間はひととおり目をとおす。倉庫は資材であふれている。ストーブの煙突は窓から突き出ている。ケーブルは側溝からはみだしている。銀行屋は一目で大満足。契約書にその場でサイン、というわけだ。

ああ、アンナ・マリー。すべてそっくり姉貴の頭の中から生まれてきたんだ。ねえジェリー、と姉貴は俺に言う。あんたは自分の頭をいったい何のために使ってるのよ？頭痛のため？　頭痛のため、ときたね。なあキティー、どうして俺だけほかのみんなと出来がちがうんだろうな？　俺は一度スキッピーに俺の家を建ててくれないかって頼んだことがある。いいとも、とやつは言った、定価三万五千の家を、お前ならそうだな、二万二千で建ててやろう。どう思う、キティー？　ただでくれたってよさそうなものじゃないか。俺の手にまとまった金があればなあ。お前がなんかぱっとうまくやってくれたらなあ。

あなたがもっと根性曲がりになるように助けてあげられるといいんだけれど、とキティーは言った。

彼はキティーのせりだしたお腹の上に手を置いた。なあキティー、俺がうまくひらめきさえしたら、この子をばっちりとハーヴァードに入れてやるさ。

それで、ザンダキスはどうなったのよ、いったい？

なんであいつのことがここに出てくるんだい？　あいつはビジネスマンじゃないぜ。あれは人殺しのろくでなしだ。

グラッドスタインはどこにいるの？

あいつもかい。あいつなんか存在もしていないさ。あいつは百二十五丁目にある自分の安物雑貨屋で、両手の親指をマーセル加工した9番綿糸で結ばれて、上から吊されているよ。

神様はどうなったの？

キティー、お前は俺のことを馬鹿にしてんのか？　よしてくれよ。

いいわよ、とキティーは言って、背中の深々とした枕によりかかった。彼女は思った。日曜日の生活って、二週間だって待つだけの価値はあるわ。

さて俺のことだ、とジェリーは言った。今の俺は、いったいなんだろう？　俺は日曜日の朝飯のシェフだ。俺はこれから三十枚のパンケーキを作る。ひとり頭六枚だぞ。そして卵とベーコンと、フレッシュ・ハムと、ジュースが一ガロンだ。俺はこれからお前のぐずの子どもたちを起こすんだ。そしてメシを与える。あいつらの出来の悪い頭の中で、脳味噌がいくらかうぐうぐと動きだすまで、メシを食わせてやるのさ。俺は頭のとろい子どもが嫌いだよ。いつも自分のことを思い出すからさ。

ああジェリー、とキティーは言った、あなたがいなかったらいったい私、どうなるかしら？

妊娠することもないだろうな。それがまずひとつだ、と彼は言った。

そうかしら、とキティーは言った。

それほど寒いわけではなかったが、彼女は毛布にしっかりとくるまってベッドに横になっていた。それは彼女の友人のフェイスのおばあさんが作ったパッチワークのキルトだった。暖かい部屋の中でそれにくるまっていると、すごくほかほかした。古びたブラインドが、朝の光をぼんやりとした黄昏のように見せていた。ジェリーの兄のスキッピーの、オレンジ色のラジオから流れる音楽に、彼女は耳を澄ませていた。

「来たれ、来たれ、汝、芸術の子ら……」

熱くなった鉄板の上でベーコンが、じりじりと音を立てて身を曲げていた。ワッフルがトースターから威勢よく飛び出した。カウンター・テナーが歌いかけた。

ヴィオルの弦を叩け触れよ

おお、触れよ、

リュートに

さて、これは女王の誕生日のためのものです、とラジオのコメンテーターは語っていた。パーセルの生きていた当時、栄華をきわめていた英国においては、このように多くの喜びの祝いがとりおこなわれていたのです。

Faith in a Tree

木の中のフェイス

私が意味のある会話をとても必要としているときに、男性社会の匂いのひと嗅ぎを求めているまさにそのときに——要するに私のフレンドリーな言語を果てることなき肉体言語に翻訳できる程度に頭の働く男友達を少なくとも一人は必要としているときに——私は近所の公園で子どもたちに取り巻かれ、無為に時を送ることを余儀なくされていた。

そこには子どもたちがうじゃうじゃといた。木々のあいだに、彫像の腕の中に、そして芝生に足を入れて。子どもたちは犬の糞をひょいひょいと踏みつけ、モグラの穴を掘り返した。子どもたちが駆けだすと、母親たちは立ち止まって話を始めた。

民主主義の時節になんたる場所であろうか！　今でもなおいくつかのささやかな水素爆発によって星々を解体しておられるユダヤの王にして唯一なる神は、その天上の作戦本部から下界を見おろし、我々の全員の姿をご覧になる。少女たちの頭——春の幸運をのせたお下げ髪、黒い短いおかっぱ頭、時折きらっと光る金の結婚指輪。神様は南のブルックリンに目を向け、プロスペクト公園をご覧になる。ここでは、日本庭園と警察署にはさまれるようにして、樹木が砂地に根を下ろしている。そして私たちを越えてもっと北の方に目をやると、そこには危険きわまりないセントラル・パークがある。そのさらに北では、鹿族特有の目をしたオオカモシカやクーズーが生き延びて、ブロンクス動物園の放し飼い地《オープン・ピット》で草を食《は》んでいる。

しかし私は、神様がふと思いなおされて造りたもうた女の一人として、地上十二フィートの高さの、鈴懸の長い頑丈な枝の上に、足をぶらぶらとさせながら座っている。私にはキティーの姿しか見えない。キティーは母親業の仲間だ。この稼業では最高に腕がいい。彼女は私の下で、経かたびらの残り布（一ヤードおおよそ十四セント）で作った黒いコットンのスカートをはいて、文字どおりくしゃくしゃになって、私が座った木の幹にもたれかかっている。もう一人の仲間であるアンナ・クラートはそのすぐ近くで、公園の硬いベンチに座り、憂鬱そうな、しかし美しい顔で、運勢が好転するのを待っている。

ここからは実際に目にすることはできないけれど、涸れた噴水のずんぐりとした噴き出し口の向こうに、日に照らされてからからになったサークルの円周に沿って（ヘンリー・ジェームズがそれを見ることができた時代には、水面に百合が浮かんでいたはずである）、ミセス・ハイム・キャラウェイがその恐るべき若苗たち——ガウアンとマイケルとクリストファー――をつっつきまわしているであろうことが私にはわかる。子どもたちが乗っているのは英国製の自転車と、フランス製の三輪車と、デンマーク製のトラクターだ。彼女の隣には返事が返ってこないことに怯えつつ始終しゃべりつづけているミセス・スティーミー・ルイスがいる。マシューとマークとルーシーが彼女の子どもたちだ。彼女はギリシャの島のわらぶき屋根のホテルで過ごしたこのうえなく幸福な日々について語る。そこではね、歴史がまるごと土地に染みついているのよ、と。ルーシーは泥のついたカシミアのセーターを着て、悪い足をひきずりながら母親のスカートにくっついて歩く。ミセス・スティーミー・ルイスは自分のきわめて狭い世界の中で行き来している。そして「私は六人の子どもを産むわよ」と言う。しかしミスター・スティーミー・ルイスはもう余命いくばくもない。

ミセス・ジュニアス・フィンの姿は一目でわかる。彼女は私と同じブロックに住んでいて、私が夕刻に玄関前の階段で時をともに過ごす仲間である。艀《はしけ》のように大柄で、レディーさながらゆったりと動く。彼女の船尾には、物干しロープによってふたつの赤毛の小甲板室がひっぱられている。彼女の肉づきのいい上甲板には、ウィルトウィック*がいる。青白い顔、くすんだ色の目をした、声の大きい三歳の船長で、濡れた親指を風に

＊原注――ウィルトウィックというのは彼のお兄さんであるジュニアが通っていた学校の名前から取られた。ワルで、ますます悪い方に向かっていたジュニアは、いまだにワルである。でもだんだんましにはなっている（人間は完全になりうるのだから）。

向けて突き出している。「はやく、はやく！」と彼は吠えている。ミセス・フィンははあはあと蒸気の息をつきながら、偏屈なるプレイグラウンドへと、その砂地の港へと向かう。

それと同じ海峡を、しかし悪意をはねかけるくらいに間近に、子どもの浮かべるヨットのように体を微妙に傾けながら、リン・バラードが無関心な顔をした私のそばを通り過ぎ、藤色の大きなハンドバッグを軽い錨のように、緑色の木製ベンチの上に下ろす。彼女は溜息をつき、顔を上げて天が語りかける声（なんてものがあるとして）に耳を澄ませる。こんな具合に、週に一度、内股で、頭を高くかざし、身体を四分の三くねらせ、両腕をアシカの鰭《ひれ》のようにぴったりと優雅に体のわきにつけ、彼女は身を休めている。いかにもお金のかかった静けさがそこにはある。よその子どもが倒れて泣きだしても、彼女は絶対に手を差し延べようとはしない。彼女のマイケルは小さな赤い自転車に乗って、砂場のまわりを何度もぐるぐると回っている。そのあいだ彼女はひとり、プライベートな真夜中の夢を見ている。

「まるでモデルのようね」とミセス・ジュニアス・フィンがリン・バラードの頭ごしに叫ぶ。

私は意見を述べるには本人の近くにいすぎる。しかし私はふんと鼻を鳴らし、その結果たまたま、甘い香りを肺に吸いこむことになる。なにしろ時は五月なのだ。

キティーと私は、リン・バラードとは似ても似つかない。あなたはキティーの愛嬌のある顔を、私が彼女のことを語るにつれて、ゆっくりと目にすることになるだろう。でも私は——手っ取り早く——いったいどういう人間なのか？　もしあなたがバーゲン漁りの名人なら、もってこいだ。私の顔には十いくつものメッセージが浮かんでいる。友だちだけに向かって発したメッセージである。彼らにはそれがありありと読み取れるのだ。それこそバナナの叩き売りみたいに。今となっては、私もそのことを認めよう。

しかしながら、どれほど平凡な人生だって、しかるべき大事件に（たとえば名声に）彩られているものだ。かつて私は有名であった。その輝きの意味の中から、謙虚にして頑なな心を持った私が作られてきたのだ。

かつて、ニューヨークの新聞という新聞は、いやしくもそのための設備を有している新聞であるなら、スチュワーデスの腕に抱かれた私のグラビア写真をでかでかと掲載したものだった。私は、今にして思えば、民間航空機に乗った世界で三番めの赤ん坊であったのだ。この写真は今ではクリーニングについてくるボール紙でマウントされて、老人ホームに置いてある。母は永遠に対して闘いを挑むかのように、その額にガラスをはめている。キャプションにはこうある。「私たちのもっとも年若い乗客です」。「ちびっこの乗客——フェイスちゃんはおばあさんの家を訪ねていく」。「さあ着きましたよ。スチュワーデスのジーニー・カーターの腕に優しく抱きしめられたフェイスちゃん」

いったいどうして、小さな赤ん坊が単身どこかに送られたりしなくてはならないのか？　私の母はそれによっていったい何を証明しようとしたのか？　私に自立心があるか？

ことを証明したかったのか？　自分が過保護でないことを証明したかったのか？　未来の賢明なる、社会主義者の、シオニストの世界において、娘が結婚するときに泣いたりはしないということを証明するためにか？　「あなたはアメリカ人の子どもなのよ。自由で、自立しているのよ」。そんなもの今のところ、何の役にも立っちゃいない。私はいつだってもたれかかることのできる男を求めてきた。今手持ちがひとつあるようなときだって、そうだった。私には二人の小さな男の子がいるが、彼らは私に依存していて、私のルンペン的な時間と、ブルジョワジー的なフィーリングはすべて彼らに注がれることになる。私は子どもたちの靴の紐を結んでやるし、お尻だって拭いてやった。私はそれを恥ずかしげもなく堂々と口にする。それは我が友人にして精神科医ソーシャル・ワーカーのヘレスブラウン夫妻（エレンとジョージ）の教唆を遥かに越えたことであり、おかげで彼らをあきれかえらせている。私は子どもたちに一日に四十回もキスをする。私は、これは本来父親がやるべきことなのだが、彼らにパンチをくらわせもする。デートをして、夜中に帰宅したときには、子どもたちをばたばたと揺すって起こし、惨めな事の顚末について愚痴を聞かせる。レベルの低い仕事やら、散らかり放題、汚れ放題の家の始末でへとへとになっていないときには、私は子どものために神を讃えもする。ある日曜日の未明に、我が隣人であるミセス・ラフタリーは電話で警官を呼んだ。それというのも、真夜中の三時に、私が仕返しの心に満ちて神を讃える歌を歌っていたせいだ。

歌の話が出てきたからには、今日が日曜日ではないことも言っておかなくてはならない。それが日曜日ではないせいで、公園にいる青い目をした童顔の警官たちはみんな、頭を痛めているのだから。ビタミンのせいで図体ばかり大きくなったハイスクールの生徒たちが、ギターケースを下げて、一日そこでうろうろしようともくろんでいることが、警官たちにはわかっている。彼らは怯えている。生徒たちの一人がフォーク・ソングの弾き語りを始めるのではないか、あるいは数人が徒党を組んで中世風の対位法でコーラスを始めるのではないかと。

疑問：世界は知っているだろうか。平均的な自由民は認識しているだろうか。日曜日の午後の数時間を例外として、フレットつきの楽器を演奏することは、市の条例によって禁じられていることを。フルートとオーボエの歌については、例外を許さず禁止されていることを。

解答（説明）：ここはまさに破砕球みたいに勢いの良い街で、叩き壊し、打ち倒し、そして休みなくセメントをこねては再建をするのです。このうえにクラリネットのハイノートが加われば、市民の鼓膜を破るデシベルになりかねません。しかし、もしあなたが製図板にかがみこんでいる市を愛する設計家であったとしたらどうでしょう？　その繊細なる設計図の上に、おそらく涙がぽろぽろとこぼれることでありましょう。

とはいっても、口笛を吹いたからといってあなたが警察にひっぱられるおそれはない。だから口笛を吹く人たちがやってくる。土曜日の若き父親たちだ。オープン・シャツを着て、野心満々という感じ。だいたいにおいて彼らは何かしらの目標に向かって一路邁《まい》進《しん》しているので、いろんなパーティーに顔を出さなくてはならない。だから眠くて仕方ないのだが、それでも二歳の息子のために元気いっぱいという姿を見せなくてはならない（幼き少年たちは男性としてあるために、大いなるエネルギーの記憶を必要としているのだ）。彼らは、季節がもう変わりかけているというのに、ミニアチュアのフットボールを持参している。そのあと、ほんの数分だけ遅れて、年かさの父親たちがせかせかとやってくる。彼らの顔はきゅっとそげて、クリーンな微笑みを作っている。一人残らず美しい白髪頭とひたむきな目を所有している。彼らははあはあと息を切らせ、三度めの聡明なる結婚によって生まれた幼い女の子に手を引かれている。

彼らの一人が、私の木の近くを通り過ぎるときに、キティーのサンダルにつまずく。彼は手でひさしを作って太陽の光をさえぎり、私を見上げる。彼はアレックス・O・スティール、私が母親の社会主義的意志に反してコニー・アイランド・ガールスカウトであった頃に、オーシャン・パークウェイで借家人たちのストライキを組織した人物だ。

「やあフェイス、元気かね？　リカルドから何か連絡はあった？」

私は彼に対してレクチャーの形式で解答する。

アレックス・スティール。サシャ。そのとおり。リカルドから連絡はあったわ。リカルドは、私がこのように礼儀正しくあなたとお話をしようとしている今だって、紫がかった灰色の脳味噌をさんざんこねくりまわして、フォームラインのワールド・ツアー・クルーズシップ、イースタン・サンセット号の船尾デッキから、こっそりと私の耳めがけて飛び込もうとしてきたのよ。彼は今、私の頭の中で大の字になっている。イースタン・サンセット号で世界の夜を巡る大航海に乗り出したばかりの女性の乗客と恋に落ちたせいで、夜も明けないうちからくたくたに疲れ切ってしまったのね。今この瞬間も、彼は私に話しかけている。

「アルクトゥルス星が上り、オリオン星が下りて……」

「うぬぼれ屋のすけべ野郎が」と私は呟く。

「おやおや」と彼は言って、目をしばたかせる。

「坊やたちはどうしてるね？」と私は彼に質問させる。

「へえ、子どもたちがどうしているのか、だってさ」と私は答える。

「いや、べつにいいんだ」と彼は言う。「答えなくていいよ。ただあの子たちが道路を横断するときに車にはねられて死なないように気をつけてくれ。それは君の役目だからね」

「なんだって？」とアレックス・スティールは言う。「よく聞こえないな、フェイス。そういうもそもそっとした話し方は、まるで子ども時代みたいだぞ」

「ただの冗談よ。何でもないわ。でも、このあいだ彼からほんとに連絡があったわ」。

私はストレッチ・デニムのポケットから、ぐしゃぐしゃになった手紙をひっぱり出す。生まれたばかりの発展途上国の異国的な切手が貼ってある。大きな切手で、鉄条網に囲まれた野原の中で二頭のライオンがにっこりと笑っている図柄だ。手紙にはこうある、「あまり元気ではない。熱帯雨林なんか二度と見たくない。病気なんだ。君は仕事している？　エド・スニードには会った？　あいつには百八十ドルの貸しがある。もしあいつが文無しみたいだったら、強引に取り立てなくていい。でももしそうじゃなかったら、ゲラ・ベルデのドティー・ワッサーマン気付でいくらか送ってくれ。僕はここで彼女と一緒に暮らしている。彼女は子ども伝道団の仕事で来ているんだ。素敵な娘だ。十年前の君を思い出させる。自分の信念に基づいて行動する女性だ。僕は金が必要だ」

「これって、まさにリカルドよね、アレックス。なんとなれば、手紙には署名もない」

「ドティー・ワッサーマン！」とアレックスは言う。「へえ、彼女はそんなところにいたのか……へんちくりんで、不器量な娘だよ。なあフェイス、一度一緒に昼飯でも食べようよ。私の職場は東五十丁目あたりにあるんだ。みんな元気かい？　ご両親、自分で望んでホームに入ったって聞いたけど。そんなところに引っ込むようなトシでもないだろうに。ねえ、私は『不治患者の会』という民間基金財団の理事長をやっている。我々は目覚ましい仕事をしているんだよ、フェイス。人の寿命を延ばす開発のスピードたるや……まあそれはともかく、この私の縮れ毛のシャロンは可愛いだろう？」

「ねえ、アレックス、その子はいくつなの？　なんて可愛いんでしょう。素晴らしい赤ん坊、素敵だわ。まるで桃みたい」

「そうだろうよ！　あの子は桃みたいに可愛いさ。母さんはね、誰だっていいんだ、僕らのことよりは他人のほうが好きなんだ」と私の息子のリチャードはやきもちを焼いて言う。それはね、二歳半の年にあなたの全幅の愛情を弟の出現によって奪われたからよ、と友人エレン・ヘレスブラウンは語る。もちろんそれはありきたりの専門家的でっちあげだ。安っぽいこじつけだ。私の長男であるリチャードは聡明な子どもであるし、それは最初からわかっていた。彼が私のたった一人の子どもであり、父親のリカルドがどこかの気持ちの悪いジャングルの奥に探検にでかけていた頃、私たちはよくスタテン・アイランド行きのフェリーに乗ったものだ。ときどきはホボーケン行きにも乗った。私たちは橋を歩いて渡った。リチャードと私と二人だけで。私は彼に言った。ねえリッチー、あの艀の上のポッポッを見てごらんなさい、ねえリッチー、あの大きくて速いタグ・ボートを見てごらんなさい、高いクレーンをつけたあの商船を見てごらんなさい、ユナイテッド・ステーツ号が一週間と一日の船旅にでかけるところを見てごらんなさい、ハドソン川の白い流れを見てごらんなさい。ああ、あれは正確にはハドソン川じゃないわね、と私は彼に言った。あれはノース・リヴァーだわ。いや、あれは正確には川じゃないわ。あれは河口域っていってね、海の一部なのよ。彼はまだ二歳だったのだけれど、そういう科学的な話をすることができた。リチャードは非常に頭脳明晰な子どもであると信じていたからだ。ほら、川に浮かんだ氷はなんて美しいんでしょう、あの切り立った石の崖をごらんなさい、と私は言った。私は彼を抱きしめた。私の子猫ちゃんと言った。この興味尽きない世界をごらんなさい。

だから彼には文句を言う筋合などないのだ。ただすねているだけだ。

「僕らは母さんにとっちゃとことん悩みのタネなんだよ。僕らのおかげで母さんは自由になれないんだ」とリチャードは言う。「とにかく母さんはね、僕ら以外であれば誰にだって夢中になれるんだ」

私が他人の子どもたちを好きだというのは本当だ。私はお高くとまった人間ではないから、アレックスのシャロンのことを桃みたいに可愛いと言ってしまうのだ。でもね、リチャード、この馬鹿息子！　私くらい子ども自慢の人間がどこにいる？　あんたくらい頭脳明晰な子どもがどこにいる？　三年生の秀才ぞろいのクラスの、学問のあるユダヤ人の子どもたち、長老派《プレスビテリアン》の子どもたち、ボヘミアンの子どもたち、誰があなたにかなう？　あなたはいちばん頭がいい二人の子どものうちの一人じゃない。もう一人は中国系の子どもで、アーノルド・リーという。たしかにこの子に比べれば、リチャードでさえいささか凡庸に見える。これは私も認めるところだ。しかしあなたは聞いたことがあるだろうか、「誰《フー》」という言葉を使って文章を書きなさいと言われて（彼らは困難な疑問代名詞に取り組んでいた）、次のような文章を書き、東洋系独特のもつれた発音で堂々と読み上げる子どものことを。「ねえ君《フレンド》、上海の商人の中でいちばん商い高の多いのが誰か知っていますか？*」

「また母さんの例のおしゃべりが始まったよ」とリチャードは言う。「ねえリチャード、よくよく聞きなさい。アーノルドは興味深い子どもだわ。あんな子どもには、ここか香港くらいでしかまずお目にかかれないでしょうね。だから、私があなたに与えてあげたそういう利点のいくつかを、うまく活用するのよ。私は田舎が好きだから、都会に住まなくてもかまわない。でも私は知っているの、田舎暮らしが子どもたちにとってどんなにハードかということを。だから私はこのうんざりする貧民窟に留まっているの。あなたがアーノルド・リーみたいな子どもに出会うことができるように、アイルランド系やらプエルトリコ人やらと一緒にこの素敵な界隈で暮らせるように、そう思って私はこの煤《すす》と泥の中に生きているのよ。遊び友達になれる黒人の子どもたちがどうしてここに一人もいないのか、私にはわからないけれど……」

「そんなものいなくて結構さ」と彼は言う。私をからかって言っているのだ。「あいつらどうせみんなナイフを持ってるんだぜ。でも母さんは僕が殺されたってべつにかまわないんだろうけどさ。そうだろう？」

そんな口をきく子どもに、どう答えればいいのだろう？

「答えることないよ」とミセス・ジュニアス・フィンがしたり顔に口を出す。「あんた、

＊原注——子どもを称賛してやまないマリリン・ゲワーツ先生（彼女はここに登場する唯一の現実の人物である）が、この話を私に教えてくれた。

そんなことに答える必要はない。神様はそういう物事にいちいち答えるために言葉をお与えになったんじゃないもの。だいたいあんたはまめに返事しすぎるのよ、フェイス・アズベリー。だからごらんなさいな、このあたりにリチャードくらい生意気な子どもはいないよ」

「ミセス・フィン」、私は彼女に聞こえるように声を張り上げる。彼女はかなり離れたところにいるし、私みたいに他人の話に進んで耳を傾けようとはしていないからだ。

「生意気のどこがいけないの。邪悪さはいけないことよね。不正はいけないことよね。強盗、殺人、そして血管にヘロインを打つのはいけないことよね」

「くだらない、くだらない」と彼女は言う。情熱なんてお呼びじゃない。「ああ、くだらないったらないね」

ミセス・フィンは学はないけれど、私なんかよりはもっと言葉の意味に深く通じている。彼女はとくに、いいことといけないことにこだわっている。私の言語はそこではっきりと限界を有している。私のボキャブラリーは短い書き付けをしたり、日誌をつけたりするには十分足りる。しかし眼前にある道義的生活に対しては、完全に無力である。もしこの言語をちゃんと知っていたなら、私みたいな人間が次に何をするべきかを告げる究極の動詞形が、ウェブスター辞典やアメリカ俗語辞典のページを繰るみたいに、私の頭の中にきっと見つかるはずなのだけれど。

ミセス・フィンは私のいくつかの問題点を承知している。私はそれらのことをあえて隠そうとはしないからだ。そしてよりによってこの今、私はそれらについて思い出させられることになる。というのはミセス・フィンの姿を、私はほぼ等身大で眺めているからだ。彼女はウィリーのおかげで、プレイグラウンドで足止めをくらっている。ウィリーは公園の自転車置き場に置かれたすべての英国製の自転車を鑑賞するために、母親の赤みがかった胸の甲板の高みから転げるようにして下りた。言うまでもないことだが、ウィリーの兄であるジュニアは、この自転車のおかげで州北部《アップステート》の施設に送られたのだ。ジュニアは、何かを欲しいと思いこんだら、なんとしてでも手に入れずにはおかない子どもだった。最初のうち、彼の父親はお尻を叩いた。工業社会とグループ・セラピーが登場する前に、自宅で働いてきた幾世代もの父親たちに知られてきた微妙な模様を、彼もまた刻んだのだ。しかしそのうちにミスター・フィンは自分の少年時代のことをいろいろ思い出して、これは何もジュニアに責任があるのではなく、アダムの犯した罪にそもそもの原因があるのだという結論に達した。今ではフィン夫妻は十速のイタリア製レース用自転車を目にするたびに、ジュニアのことを思って、二人そろって深い溜息をつくことになる。ジュニアは未だに家に戻ってはいない。百七十六台もの自転車を深く愛したが故に。

以下にあげる数人の借家人は、それぞれにいささかの問題を抱えている。ミセス・フィン、ミセス・ラフタリー、ジニー、そしてこの私だ。我々の建物に住んでいるそれ以外の全員は、この豊かなる社会の階段を上昇する途上にある。彼らは五年か十年かのあいだ低家賃住宅で我慢してお金を貯め、それからジャージーやブリッジポートに越していく。しかし我ら四家族単位（最近は人間のことをそう呼ぶらしい）は、「終わりなき文化的停滞状態」に押し込められている。ただの裕福さから絶対的な帝国《エンパイア》へと向けて、社会全体がそのキャタピラをひたひたと進めているというのに。そのような一切を頭に入れたうえで、私はいくつかの名前といくつかの日付を口にする。「ねえミセス・フィン、うちのリチャードをごらんなさい。ジュニアが彼の自転車を取ってしまったとき、リチャードは地下室の石炭の中に隠れて、自殺する方法を考えていたのよ」。しかし彼女はクールな返事をよこす。「ねえフェイス、そういう言い方はぜんぜんフェアじゃないわ。それがリチャードのものだとわかったとき、ジュニアはすぐに返してあげたんだから」

よろしい。

キティーは言う。「フェイス、あなた木から落っこちちゃうから、そんなに興奮しないでね」。彼女は上を見上げ、目の動きで方向を示す。そちらには一人のハンサムな男性の姿が見える。細いズボンをはいている。土曜日にこれまでにも何度か、その姿を見かけた覚えがある。彼はリン・バラードのところに行って、その隣に腰を下ろした。そして彼女の左の耳に向かって優しく話しかける。彼女はじっと横顔を向けたままだ。彼はリンの子どものマイケルにはまだ一度も話しかけていない。彼は有名な俳優で、『彼女』という芝居の新しい上演で、相手役をやってくれないかと彼女を説得しているのだ。

それが、好意のかたまりともいうべき我が友人キティーの推測である。

私はそのような親切心とは無縁である。私はしばしば、物事の見かけの奥に幽霊の正体を見出してしまう。この男が週末だけの同性愛者であることは間違いない。近所の知り合いを入れてスリーサム（三人プレイ）をやろうと、彼女にもちかけているのだ。彼女の鼻が揺れて、その申し出に同意すれば、彼は意中の相手をうまく手中に収めることになるだろう。彼のお目当ては実は、レジ台から彼女にずっと想い焦がれていたスーパーマーケットの男っぷりの良い店長である。彼らは具体的にどんなことをするのだろう？　私にはぜんぜん想像がつかない。ピューリタンなみに厳格に育てられたので、そのへんが盲点になっている。

「そんな馬鹿なことを考えるものじゃないわよ」とキティーは言う。ちがう、ちがう。彼女の目には彼のポケットに入った契約書が見えるのだ。

キティー・スカズカのような人は他にまずいない。同様の運命的欠陥を有している他の人々に比べると、彼女は我慢強く、愛情深かった。キティーが永遠に生きて、人々の心を開かせるために、娘やら息子やらを次から次へと産んでくれればいいのに、と私は思う。とはいうものの、不死ならずして目下妊娠中の実際のキティーには、三人の緑の瞳の、それほどぱっとしない娘たちがいるだけだ。もちろんキティーは素晴らしい子どもたちだと思っている。まあたしかに、人の良い母親と、次々に通り過ぎていった半ダースの父親たちとのあいだにもうけられた、感性においても頭脳においてもなんとか人並みというくらいの子どもたちではある。

末の娘はアントニアという名前だった。彼女は大人に対する敬意というものをまったく持ちあわせない。キティーは敬意なんてべつに持つことないと思っていたから、そういう点では、娘に対して大いに満足していた。

この土曜日の午後の適切なる時点で、アントニアは私の次男であるトントに話しかけようと心を決めた。彼は芝生の上に腹這いになっていた。裸足のかかとを空をゆく天使たちの目に晒《さら》し、特定のアリたちや、その他の虫をプレイヤーとするゲームに没頭していた。

「ねえトント」と彼女は言った。「なにをしているの？　私も入れてくれる？」

「駄目だね。これは僕のゲームで、オンナは入れないんだ」とトントは答えた。

「あなたは世界の王様か何か？」とアントニアは穏やかに尋ねた。

「そのとおり」とトントは言った。

なにしろ彼は本気で、自分が王様だと思っているのだ。それについては、私は声を大にして言いたい。いいじゃないか、と。そのとおり、あなたは世界の王様なのよ、アンソニー。あなたは、母親が働いている恵まれない子どもたちのためのデイケア・センターにおけるプリンスであり、雨が降るすべての日曜日には、ウェストサイドの荷物積み下ろしゾーンにおける神様《ロード》なのよ。私は今も、あなたのことをずっと見まもってきたのよ、四本の銀杏《いちょう》からなる暗い森の、這いつくばった親分。王様！　あなたはただ上を見上げて、私に何か偉そうに命令すればいいのよ、アンソニー。私はすぐにこのざらざらの樹皮を滑り降り、新品のストレッチ・スラックスに鉤裂《かぎ》きを作って、それから言われたとおりにすることでしょう。

「ニッケル（五セント）をくれないか、フェイス」、彼は即座にそう命ずる。

「彼にニッケルをあげて、キティー」と私は言う。

「ニッケル、ニッケル、ニッケル。いったいペニー（一セント）はどこに行っちゃったんでしょうね？」とアンナ・クラートが言う。

「アンナ、あなたはお金持ちでしょう。私たちの敵でしょう」と私はこそっと言った。しかしプレイグラウンドの入口のところでまだ足止めをくっていたミセス・ジュニアス・フィンの耳には、その言葉がちゃんと届く。

「なんでもかんでも金持ちのせいにするのはやめたらどうなの」と彼女は警告を発した。彼女ときたら、自分のおかれている個人的経済状況は棚に上げ、労働者階級の神経症的な台頭に対して憤慨しているのだ。

リン・バラードはその誇り高く、恥知らずな首を傾げた。

キティーは溜息をつき、ヤードいくらで買った布地をずらし、今はいている巨大なスカートの裾を少したくし上げた。「さあニッケルよ、坊《ラブ》や！」と彼女は言った。

「坊《ラブ》やときたわね！　まったくもう！」とアンナ・クラートが言った。

アンソニアは大きな円を描きながら鈴懸の木のまわりを歩き、縫い物をしているキティーに腕をかけた。太陽が彼女の左肩のすぐ上に照っていた。完璧な光だ。まさにそのときに、ひとりの具象画家が近くを通りかかった。エドワード・ロスターだったと記憶している。彼はそこに膝をつき、その光景をまじまじと見つめた。彼は映画監督がヴューファインダーをのぞくようにそれを手で四角に切り取り、「ああ、素敵な絵だな！」と言い残して、立ち去っていった。

「第一号《ナンバー・ワン》！」と私はキティーに告げた。彼こそが第一号。たまたま通りかかって、じっと目を細めて、その情熱を吟味した最初の見物人だ。ほどなく人々は年齢や意図に応じてグループを作ってこの小道をやってきたり、あるいはまた、彫像の陰に隠れるようにして、個別にノートをとったりすることだろう。

「秘訣は」とアンナが、世界をしっかりと貶《おと》めるべく、口をはさんだ。「投機屋と投資家とをどうやって見分けるかということよね……」

「そんな生き方は、私はしたくないわ。ごめんだわ」とキティーが穏やかな口調で言った。

「ご注意！」と私は叫んだ。二人の男が額を寄せあうような格好で、私たちの前をぶらぶらと歩いていったのだ。彼らは同性愛者ではない。ジャック・レズニックとトム・ウィード。ただの音楽愛好家たちで、トランジスタ・ラジオの上に身をかがめ、そこから流れるバッハの『半音階的幻想曲』に耳を澄ませているだけのことだ。二人は私たちの方には目もくれない。偉大なる音楽に没頭しているからだ。それでもアンナは、彼らがこう言うのを耳にする。「おいジャック、僕が今耳にしたものを、君も聞いただろうか？」「うん、たしかに聞いたぞ。こいつは浪漫主義的すぎて、ちっともバッハになっていない。とんでもないことだ」

さて、私はここで言わなくてはならない。暗黒がこの地表を覆ったとき、大いなる暗黒が人類を包んだとき、私はあなたがたのことを想うでしょう。素晴らしき耳を所有した二人の男性のことを。文明というものに、人間の五感を高める以上のことが、それほど多くできるとは私は考えない。もしあなたが磨きをかけたいと思っているものが真実と名誉であるのなら、ユダヤ人はそれについてのいくらかの洞察を有していると思う。ユダヤ人は偶像を作らないし、神の姿を模倣しない。結局のところ、いうなればそのようなグラフィック・アートの分野においては、誰も神にかなうわけはないのだ。だからそういうのは神様にまかせておけばいい。タン色の砂漠を、ブルーのヴァン・アレン帯を、ニューイングランドの緑の山々をお作りになった神に、美は預けておこうではないか。神は美とは何かということについて、疑いの余地もなく知悉《ちしつ》しておられる。そして人間には――エルサレムを赦しで満たし、トロイを生きる力で満たした人間には――ひとつ善良さをまかせようではないか。

「ねえちょっとフェイス、そのノンストップの哲学はいい加減にやめてくれないかな」とリチャードが言った。彼は私の最初の、文句から先に生まれてきた子どもである。私たちの立っている真ん中に、彼は勢いよく駆けこんできた。いつものごとく頭に湯気を立てて。まっさらのボールベアリングが、ローラースケートが——それは彼の大きな足にも耐えられるくらいしっかりしたものだ——首にかかっている。

私はいちいちそんなことに取り合って、リチャードのペースに乗せられてたまるものかと決意した。私は話を脇道にそらし、難を逃れることにした。こんな話だ——やぶにらみの赤髭の男が私たちのPTAの会長になった。彼はランチ・ルームで集《つど》ってコーヒーにブランデーをとくとくと入れるさばけたご婦人たちを委員に任命した。

公立学校の予算不足という問題にどのように対処すればいいか、彼は数多くの聡明なる意見を持っていた。彼の考えついた素晴らしい企画のひとつは、インテグレイテッド・スクール（人種差別を排した学校）の理念をもっと宣伝して、私立学校に子どもを通わせている父兄に、「自分たちの子どもは何か大事なものを逃しているのではあるまいか」という気をおこさせるというものだった。午前五時——それは妬みの時刻であり、中年男女の朝の暗き竪穴である——に、彼らはふとこう思うのだ。公立学校の生徒たちは、みんな都会の悲劇の中に分かちがたく組み込まれており、それを自分たちの子どもは知ることのないままに終わってしまうかもしれないのだ。公立学校に一カ月通うことを、私立学校のカリキュラムの一部として組み込めばいいんじゃないか、と彼は提案した。それは小学校一年生がボイラールームを見学に行くのと同じように、自然かつ革新的な経験になるだろう。予算は五〇—五〇か、三〇—七〇か、四〇—六〇の割合で、教育委員会との間で分配すればいい。もしその計画が仮にうまくいかなかったとしても、そのようなプロジェクトを立ちあげた努力によって、公立学校の評判は間違いなくあがることになるだろう。

意外にも反響はあった。進歩的な私立学校の両親の一団が、「締め出し《シャット・アウト》」という名前で知られるようになったこの問題について、教育委員会に対応を迫ったのである。そして最後には守旧的な学校のＰＴＡまでもが（彼らの関心はそれまでは、もっぱら子どもの頭を教育することにあったのだけれど）、イリウム（トロイの古代名）の恐怖について本で学んできた子どもたちを、街頭の暴力に晒すことに、あるいは意義があるのではないかと考えるようになったのだ。そうすれば『イーリアス』について、子どもたちがよりよく理解することができるようになるのではないかと。マンハッタンの公立学校に通うことが副科目になるかもしれない。ちょうどタイピングの授業と同じように、副次的な必須科目として。

積極性と、エネルギーと、楽天性にあふれるミスター・テリー・コルンは、満場一致で再選され、全国父兄教員連合に特別評議員として派遣されることになった。彼はそこの小さな専用オフィスの窓辺でマリファナを栽培し、花が散ってしまったあとのマリゴールドだと主張した。

彼は我らがＰＴＡの大いなる喜びであった。しかしまもなく、彼には子どもがいないという事実が発覚した。そしてキティーと私は、どこかのバーで人目を忍んで彼に会わなくてはならないことになってしまった。

・

「ああ、もう」とリチャードは言った。彼のイライラは、この心愉しき脱線話によってもごまかすことができなかった。

PTAのご婦人方は
ブラウスとバギーパンツという格好で
一日じゅう電話でおしゃべり、
家の掃除なんかまっぴら。

私の息子リチャードは、この戯《ざ》れ歌を本当に自分で書いたのだ。私はこれは、韻とか歩格とか、実に良くできていると思った。だから私はこれを自ら、彼の担任のところに持っていった。そのために私は、午後まるまる休みまで取ったのだ。「えーと、これは何かの冗談なんですか、ミセス・アズベリー？」と彼女は尋ねた。

彼女のいかにも親切で、いかにも教師的な瞳をじっとのぞきこみながら、私は学校がどういうものであったかをまざまざと思い出した。ときとして、学校の午後がどれくらいうんざりしたものになりうるかについて。私は言った。「リチャードを連れにきたんです。歯医者の予約がありましてね。この子の歯は父親にそっくりなんです。腐っているんです」

「それは用心してください、ミセス・アズベリー」

「まあそれくらいのことは」と私は言って、彼の手を引いた。

「フェイス」と彼は言った。リチャードはまだそこに立っていた。「どうしてあのとき、僕を歯医者に連れていったりしたんだよ？」

「学校になんかいたくないだろうと思ったからよ」

「なんで、なんで、なんで？」とリチャードは尋ねた。どたどたと足踏みをして、叫びながら。私は返事をしなかった。私はじっと目を閉じて、彼がどこかに消えてしまうのを待った。

「いいじゃないか」とフィリップ・マッサーノが言った。私が目を開けたとき、彼がそこに立って私を見上げていた。

「リチャードはもう、どこかに行っちゃった？」と私は訊いた。

「この人、フィリップよ」とキティーが私の方に向かって言った。「フィリップのことは知っているでしょう。前に話したフィリップよ」

「えーと？」

「フィリップよ」と彼女は言った。

「ええ、そうね」と私は言って、鈴懸《すずかけ》の木の枝を離れ、できうるかぎりそっと地面に飛び降りた。私だって転落して足を挫《くじ》いて、一週間も仕事を休むわけにはいかないのだ。

「学校なんてさ、どうってことないんだよ」とリチャードが木の背後から言った。「彼女がうだうだ泣き言を言うのをそばで聞いているよりは、学校にいるほうがずっとましさ」

そういう言い方を平気でしちゃう子どもなのだ。

フィリップは困惑した表情を顔に浮かべた。「君はいったいいくつなんだ、坊や？」

「九つ」

「ふうむ。九つの子どもが、そういう口のきき方をするものかね？　私には九歳の子どもが一人いたような気がするけどな」

「そのとおり」とキティーが言った。「あなたのジョニーは九歳で、デヴィッドは十一よ。そしてマイクは十四」

「ふうむ」とフィリップは溜息をついた。そして私がさっき飛び降りたばかりの木を見上げた。そこにはアンナの子どものジュディーがいた。彼女は私が温めておいた気持ちの良い枝に腰を下ろしていた。「なんと」とフィリップは言った。「まだいたよ！」

沈黙がそれに続き、そして気まずい気分。何故なら私たちは、数において彼を圧倒していたからだ。でも私たちは間違いなく、彼に対して心温かな好感を抱いていた。

「調子はどうだい、キティー？」と彼は、身をかがめて彼女の髪をくしゃくしゃにしながら言った。「元気でやってるかい、僕の大事なお嬢さん？　また一人新しくできたのかな？」彼は人差し指で彼女のお腹をとんとんと叩いた。「そうだ！」と彼は立ち上がって言った。「なあ、一昨日ニューアークでジェリーを見かけたよ。まったくの話さ。彼は広場に立って、頭をごりごり掻いていた」

「ジェリーですって？」とキティーは情のこもった、裏がえった高い声で言った。「ええ、そうそう。一週間ずっとニューアークに行ってたのよ……でもどうしてあなたはそこにいたの？」

「僕かい？　僕は人に会いに行ったのさ。ヴィンセント・ホールっていう男に会ったんだ。仕事の関係の人間だ」

「あなたの仕事《フィールド》は何なの？」と私は質問した。

「ひなげし」と彼は言った。「僕の野原《フィールド》はひなげしでいっぱいだよ」

ああ、なんたる答え！　この光明なき場所で私たちは、男だろうが女だろうが子どもだろうが、かくも田園的な返答を思いつくような人間に、それほどしょっちゅう巡りあえるものではない。

というわけで、私は彼の顔をまじまじと見た。彼は傷を負った黒い瞳を持っていた。それは影の中に深く沈みこみ、両目の下には白くて狭い縁がついていた。来る日も来る日も夜遅くまで飲んだくれていたせいだと、私は理由をでっちあげた。家に帰ってくるたびに、目尻にぎゅっとしわをよせながら、肉体の滅びるべき運命を直視しないわけにはいかなかったのだ。そのおかげかどうか、彼にはどことなく謹厳な印象があった。放蕩というのは良い方向に働けば、まず最初にそういうかたちで顕現するものなのだ。

リチャードでさえ、この非シニカルな、開けっぴろげな感受性の表示に、言葉を失っている。四十秒ばかりの時間がむき出しのままに流れ、そのあいだにジャック・レズニックは、楡《にれ》の木のくぼみにトランジスタ・ラジオを置いて、リュックの中からヘンデルの『メサイア』のぼろぼろになった楽譜を取り出す。そしてフィリップに捧げる私の頌《しょう》歌《か》の最後の歌唱センテンスに合わせるべくコーラスの休止部分に、短いエリザベス朝のメロディーをひとつ書き入れる。

「素敵な日ね」とアンナが言った。

「頼むよ、フェイス」とリチャードが言った。「頼むよ。あそこにいるやつが見えるだろう？」彼は聞き耳を立てているリン・バラードからそれほど遠くないところにある公園のベンチに、大人たちに混じって座っている一人の太った少年を指さした。「あいつがスケートのキーを持っていて、僕にそれを貸してくれないんだ。嫌みなやつなんだよ。だいたいスケートのキーをなくしたのはあんたなんだからね、フェイス。そのことはわかってるよな。まったくものを片付けるということを知らないんだから」

「もう一回頼んでみなさいよ、リチャード」

「あんたが頼んでくれよ、フェイス。なんたってあんたは大人なんだからさ」

「それはごめんこうむるわ。スケートのキーをほしいんだったら、自分で頼めばいいのよ。この人生では、ほしいものがあれば、自分でなんとかするものなのよ。いつまでも私がそばについているわけじゃないんだから」

リチャードは私に、唇を曲げた陰鬱な顔をした。いやいや、そんな生やさしい代物ではない。それはただでは済ますものかという、きわめつきの害意に満ちた顔だった。この先、たとえどれだけの時間が経過しようとも、我々がいささかなりとも関係を持っているかぎり、「ああ、あれが悪しき前兆だったんだ」ということになりかねない顔つきだった。

「何を頼んでも、きいてくれたためしがない」と彼は言った。

「一緒に行ってやるよ、リチャード」とフィリップが彼の手を取った。「その子にかけあってやろうじゃないか。その子には、この世界にたった一人の友だちもいないのかもしれない。いや、これは冗談抜きの話だ。デブの子どもにとってはね、この世界はけっこう厳しいものなんだから」。彼はそう言って自分のお腹をぱんぱんと叩いた。かなりの記憶がそこには詰まっているのだろうと私は想像した。

それから彼はリチャードの手を引いて、物事のかたをつけにいった。男同士というわけだ。

「ねえキティー！　リチャードは彼にすっとスケートを渡した。手も握らせた。そして二人で行ってしまった……、こういうのリチャードらしくないわ」

「子どもたちには、彼の良さがわかるのよ」とキティーが言った。

「彼は良い人なの？」

「実を言えば、そんなに良い人ってわけじゃないけど。うん、もちろん良い人ではあるわよ。彼は思いやりがあるの。どういうタイプかはわかるでしょう、フェイス。でもね、良い人であることをそんなに求めないでいれば、それはそれで良い人なのよ。そして彼はとても強いの。肉体的にね。あの人のことはいつか話すわ。今じゃなくて、いつか。私には特別な意味を持った人なの」

実を言えば、すべての人間はキティーにとって特別な意味を持っているのだ。特殊的一般性の字引ともいうべき、この私でさえ。アンナでさえ、我々のすべての子どもたちでさえ、彼女にとっては特別なのだ。

キティーは話しながら縫い続けていた。彼女はまるで下タルタリアのウブモンスク人民共和国から青年会議に派遣された代表みたいに見えた。一本にまとめられた真っ黒なおさげが、彼女の背中にかかっていた。彼女は白い丸首の、提灯袖《ちょうちんそで》のブラウスを着ていた。それは老いた花嫁の床のために織られたとおぼしき、ソフト・モスリン生地で作られていた。私は常に我が友キティーの推奨に対して、注意深く耳を傾けることにしていた。というのは彼女は次から次へとひっきりなしに過失を犯していたからだ。そういう意味で、彼女の体験は実に貴重なものだった。

キティーの子どもたちは、物心ついた頃から、母親のことをしっかりと見守っていた。子どもたちは彼女の言い分に耳を傾けた。しかし上の二人の子どもたちは、自分たちの人生に対して——決して母親をないがしろにしようというわけではないのだが——母親とはちがったプランを既に立てていた。子どもたちはジョン・デューイにぞっこんだった。リサとニーナは、キティーの人生が上出来なものだとは一瞬たりとも認めなかった。エナメルのキッチン・テーブルをひっかいたという理由で、姉たちがアントニアをぶったことがあった。それを見つけてキティーは言った。「アントニアは赤ん坊なのよ。ねえ、テーブルがいったいなんだっていうのよ？」

「テーブルがなんだって？」とリサが言った。「頓珍漢なこと言わないで！　テーブルが何かを知りたいですって」

「ねえ、フェイス」とリチャードが言った。「フィリップがキーをもらってくれたんだ」

リチャードとフィリップは手をつなぎ合っていた。そうしていると、まるでお父さんと一緒にいる小さな男の子みたいに見えた。自分がリチャードを常に四十七歳の大人みたいに扱っていることを思うと、私は泣きたいような気持ちになる。

キーを取り上げたことでフィリップはご満悦である。「君の息子はたいしたもんだよ、フェイス。シカゴにいるうちのジョニーもリチャードくらいしっかりしているといいんだけどね。ジョニーはほんとに九つなんだっけな、キティー？」

「間違いなく」と彼女は言った。

フィリップはしばらくのあいだ戸惑った表情を顔に浮かべ、何事かが起こるのを待っていたが、やがて腰を下ろし、くつろいであぐらをかいた。そしていかにも気さくに、リサとニーナの背中にもたれかかった。「元気かい、お姫さまたち？」と彼は尋ね、彼女たちの長いおさげを優しくひっぱった。肩越しに彼女たちの読んでいる本をのぞきこんだ。それは古典コミック・シリーズの『アイヴァンホー』と『ロビン・フッド』だった。

「私、本って嫌いよ」とアントニアが言った。

「僕もだ」とトントが叫んだ。

「なあアントニア、君がもっとたくさん本を読めばいいのにと思うな」とフィリップが言った。「アントニア、綺麗なお嬢さん。そこの二人の可愛い子。森の赤ん坊たち。太陽の光を受けた、小さな茶色の生き物。ねえキティー、君はきっとこう言うだろうな。あの子たちは自分たちの身体というものがちゃんとわかっているのよってね」

「そうね。きっとそう言うでしょうね」とキティーは言った。本人もすっかりそう思いこんでいる。

私は非常に内気な性格であるにもかかわらず、なかなか粘り強いところがある。だからこう言った。「あなただってかなり日焼けして、茶色くなっているじゃない。どうやってそんなに日焼けできたの？　何をやってらっしゃるの？　俳優とか、フランス語の先生とか、そういうものかしら」

「フランス語……」と言ってキティーは微笑んだ。「その気になれば、この人はサンスクリット語だって教えられるわ。あるいはフィリピン語でも、カンボジア語でも」

「カンボッジ……」とフィリップは言った。彼はその言葉をそっと口にした。まるで次に来る会話の話題はインドシナの戦争のことかもしれない、というように。

「フランス語の先生？」とアンナ・クラートが尋ねた。彼女はそれまで一時間四十分にわたって、春の憂愁に包まれるように、じっと沈黙を続けていたのだ。「ジュディー」

と彼女は交錯した鈴懸の枝の中に向かって大声で叫んだ。「ジュディー……ほら、フランス語……」

「やれやれ」とジュディーは言った。「そんなの簡単よ。ジュ・マペル・ジュディー・ソロモン（私はジュディー・ソロモンと申します）。マ・ペール・サペル・ピエール・ソロモン（私のお父さんはピエール・ソロモンです）。いかがでしょう、みなさん？」

「モン・ペールでしょうが」とアンナは言った。「何回言えばわかるのかしらね」

「そんなこと誰も気にしやしないわよ」とジュディーはぜんぜん気にしないで言った。

「彼女はこの三年のあいだに、二人の父親を失ったの」とアンナは言った。

トントは立ち上がって、お腹と背中をぽりぽりと掻いた。湿った芝生のせいで痒《かゆ》くなったのだ。「ほとんど誰にだって父親はいないんだよ、アンナ」と彼は言った。

「本当かい、坊や？」とフィリップが尋ねた。

「そうだよ」とトントが言った。「僕のお父さんは赤道にいる。この子たちには父親そのものがいない」、彼はキティーの娘たちを指さした。「ジュディーは二人の父親を持っている。ピーターと、ドクター・クラート。もしあんたの頭がいかれちゃったら、ドクター・クラートのお世話になるといいよ」

「あるいは私が君の父親になるかもな」

トントは私の顔を見た。私の頬はぽっちりとバラ色に染まっていた。「いや、それは無理だよ」と彼は言った。「今はまだ無理。僕の父さんの名前はリカルド。有名な探検家なんだ。探検家みたいなもの、ということだけどね。いろいろ調べに、赤道まで行っているんだ。彼の書いた本を僕は二冊持っている」

「父さんのことは好きかい？」

「悪い人じゃないよ」

「いなくて寂しい？」

「家にいると、かなり気に障るやつなんだ」

「もうよしなさい！」と私は言った。他人の面前で子どもにいつまでも父親の悪口を言わせておくわけにはいかない。そうでなくても、男というのはあれこれ心配事を抱えているものなのだ。

「たいした坊やだよ」とフィリップは言った。「君も、君のお兄さんもたいした坊やだ」。彼は私の方を向いた。「私の仕事かい？　私はいろいろと仕事をしている。ここでも、それからシカゴでもね。行く先々で。経済的には問題ない。十年前にしっかり手筈を整えたんだ。でも私が実際にどういう人間かというと、実際には……」と彼は言った。「そして偽りの告白へと駆り立てられる。だっていうなれば、そういう人生を送ろうと試みてしかるべき自分ではあるのだから。「本当のことを言うと、私はコメディアンなんだ」

「それって、ジョークね。あなたが口にした初めてのジョーク」

「でも私はその……コメディアンになろうと思っているんだ」

「だってあなた、おかしくないじゃない」

「そんなことないよ。君はまだ私の本当の姿を知らないんだ。私はコメディアンになるつもりだよ。私はかつて教師だったし、国務省で働いていたこともある。そして今、私はコメディアンになろうと思っているんだ。職業替えをしているのは何も私だけじゃないさ」

「あなたはコメディアンにはなれないわ」とアンナが言った。「面白くなくちゃ、無理よ」

彼はじいっとアンナの顔を見た。アンナは性格は最悪だけれど、美人だ。彼女がどれくらいひどい人間かを知るために、一人の夫はだいたい二年を必要とする。しかし平均的な通りがかりの人や、何かを答える人や、何かを尋ねる人が、彼女のことを美人であると認知するにはたった三十秒しかかからない。だからといって、男たちにいちいち警告を与えるわけにもいかない。キティーと私に関して言えば、そうですね、私たちは彼女のことが好きだった。それは彼女が美人だから。

「アンナは悪い人じゃないんだ」とリチャードが言った。

「静かに」とフィリップは言った。「アンナ、君はフランス語とか、フランス人とか、フランスの歴史とか、フランスの文化とかに興味を持っているの？」

「いいえ」とアンナは言った。

「そうか」と彼はがっかりした声で言った。

「私は何にも興味持ってないの」とアンナは言った。

「なるほど！」とフィリップは言って、興奮のためにそれこそ極端なまで真っ赤になってしまった。耳たぶから、ずっとシャツの中まで。彼の脳味噌から血液が下にさがっていくのを見ながら、こう思った。すごく優しく彼の睾丸を支えている役になりたいものだと。あらゆるどきんどきんがそこに集まっているときに、まあ言うなれば、きちっとそこにありたいものだと。

でもそのような色っぽい相手になりそうなのは、どう考えても私ではなくアンナだったから、こいつはまた新鮮な酸素を求めて樹にのぼったほうがよさそうだなと考えた。そうしないと私も、同じような突然の血液降下に襲われることになるにちがいない。それが自然の摂理というもの。一朝ことあらばと控えている血液が、活力と行動を意識したその場所に向けて、どっくんどっくんと送り出されるのだ。

ありがたいことに、プレイグラウンドの中から鍋釜類をがらがらと鳴らすようなやかましい音が聞こえてきた。そして短い行列が姿を見せた。私よりは少し年若く、育児にかかりきりになっているくらいの年代の大人たちが四、五人、赤ん坊たちを乗せた小さな乳母車を押している。三歳くらいの子どもたちが二人、まわりについている。ががら、じゃんじゃんと音を立てているのは、おもに彼らの役目だった。大人たちは三枚のポスターを掲げていた。最初のはけっこうな収入を得て、けっこうな生活をして、素敵な身なりをした三十五歳くらいの男が、小さな女の子の横に立っている絵だった。質問が書いてあった。あなたは子どもを焼きますか？　隣のポスターでは、男は煙草の火を女の子の腕に押しつけようとしていた。クールな返答が添えられていた。必要とあらば。三枚目のポスターには言葉はない。ナパームで焼かれたヴェトナムの赤ん坊の姿があるだけ。火にあぶられ、傷跡が残り、手がねじれてしまっている。

私たちは深く黙りこんだ。キティーは暗い色のスカートの膝のあたりに顔を隠した。私は身震いした。「ああ！」と私は言った。アンナはフィリップに向かって言った、「あの人たち、あんなことしても、みんなに背を向けさせるだけよ」。そして自ら、彼らにくるっと背を向ける。

「あんたたち、ここから出ていくんだ」とダグラスが言った。彼は地域の担当警官である。実は数分前からここに来ていて、キティーに対して、ジェリーが公園のこのあたりの隅で大麻を売るのをやめさせてくれと頼みこんでいたのだ。しかしダグラスは時を移さず行動に移った。「ここは駄目だ」と彼は言った。「公園の中ではデモは禁止されているんだぞ」

キティーは顔を上げて、優しく命令するような口調で言った、「ねえダグ、その人たちのことは放っておいてあげなさい。問題は起こさないから」

トントは言った、「僕はあの女の子を知ってるよ。グリニッチ・ハウスに行っている。君は四年生のクラスだろう？」トントは少女に向かってそう言った。

ダグは言った、「いいかいトント、今は戦時なんだ。君だってやがては兵隊にとられることになる。君はその辺の若い連中みたいに女々しくはないだろう。お国のために戦うんだ」

「ははは」とミセス・ジュニアス・フィンが言った。「目に浮かぶわね。国歌斉唱、おお見ゆるか……って」

そんな会話のすぐ近くで、デモ隊は小さな会議を開いていた。これからどうしようか？　決定が下されるまで、四人の大人たちは子どもたちの持っているベルの舌の部分を、うるさくしないように手で押さえていた。そういう人々の集まりだった。

「あいつらのやっていることは、まさに国家に対する反逆だ」とダグラスが言った。彼は解説と教育に取りかかろうと決意したようだった。「棒の先にプラカードをつけることは許可されていない。暴動に備えて、そう決められているんだ。それは彼ら自身の安全のためでもあるんだ。いつ内ゲバを始めるかもしれないものな」。そんなことが起こったときに、誰が真の犯罪者なのかがわからなくなることを、彼は恐れていた。

「でもねオフィサー、私はあの人たちのことをよく知っているんだ。このコミュニティーに属するまっとうな市民だよ」とフィリップが述べた。とはいっても、彼はこの地区にも、この市にも、この州にも住んでいない。ましてや投票権なんて、論外の論外である。

ダグは彼のことをじろじろ眺めた。「あんたね、公務執行妨害でしょっぴいてもいいんだよ」、彼はその健康そうな横隔膜の中から、いかにも警官らしい強《こわ》もての声をひっぱり出した。

「ちょっと待ってよ……」とキティーが言った。

「あんたもだ」と警官は怒気を含んだ声で言った。「解散だ」と彼は言った、「解散、解散」

しかし彼の背後では、既に三分くらい前に、集会はおとなしく解散してしまっていた。彼はそのあとを走って追いかけたが、行進は公園の外周に移って続けられていた。乳母車のハンドルにポスターをかけ、とても生真面目に、あちこちに敵や味方を作り出しながら。

「あの人たち、べつに法律に背いているとは思えないけどね」と私はダグの青色の背中めがけて怒鳴った。

トントは私の足にぎゅっとしがみつき、親指を自分の口に突っ込んだ。

リチャードは叫んだ。「は、は！」そして私にパンチを浴びせた。歯ぎしりを始めた。そんなことされたら、いずれ医療費がかさむだけなのに。

「まったく笑っちゃうね、フェイス」と彼は言った。叫び声を上げ、スケートを履いたままの足で、危険なくらいどすんどすんと足踏みをした。「まったくあんたにはうんざりだよ。それからあんたの能天気な仲間たちにもうんざりだ。どうしてあいつらは単純におまわりの前に立って、ファック・ユーって言えないんだ？　黙ってぶん殴ればいいじゃないか」、彼は勢いよく足からスケートをむしりとって、悪いほうのかかとをねじってしまった。「そのチョークの箱をくれよ、リサ。いいからよこせって」

涙が出るくらいうんざりして、彼は手近な黒いアスファルトにピンク・フラミンゴのチョークで、十五フィートもの大きさのある字を書き付けた。土曜日の散歩者たちがみんなしっかりと目にすることができるように。あなたは子どもを焼きますか？　その下にもう少し大きな字でこう書いた。必要とあらば。

私は思うのだけれど、まさにそのときに物事が私を大きく変えてしまったのだ。私は髪型を変え、アップタウンでの仕事を変え、生活のスタイルを変え、会話の中身を変えた。それからさまざまな種類の仕事についている男女と知り合った。彼らの意識は、私の子どもたちの情味あふれる頭脳によって、そのセクシーなプレイグラウンドから作り上げられ、導かれたのだ。私は毎日のように、そして日を追うごとに、世界について考えるようになった。

Samuel

サミュエル

すごくタフな少年たちがいる。怖いもの知らずだ。壁にのぼっててっぺんに立ってお辞儀をするような連中。彼らの勇敢さは屋根の上だけにとどまらない。管理人も怖がってあまり近づかないような地下室の真っ暗闇の中で騒ぎまわったりする。また地下鉄の車両の閉まったドアの間のデッキに立って身を揺すったり跳ねたりもする。

四人の少年ががたがたと揺れるデッキの上で身を揺すっていた。彼らの名前はアルフレッド、カルヴィン、サミュエル、そしてトムだった。両側の車両に乗りあわせた男女の乗客が少年たちを見ていた。乗客たちは彼らが体を揺すったり跳んだりするのをこころよく思っていなかったが、それをやめさせようとする者はいなかった。言うまでもなく、男の乗客たちの何人かはかつては彼らと同じような向こう見ずな少年だったのだ。彼らの中の一人は猛スピードで走るトラックの後尾にしがみついてニューヨークからロッカウェイ・ビーチまで一度も降りずに行ったことがあった。きりきりと指が痛んだが、決して放しはしなかった。そのときも、そのあとでも、彼はべつに事もなく暮らしてきた。一人は見物にまわるほうを好む他の少年たちとある取り決めを結んだことがあった。それは八番街と十五丁目の角からある場所まで、たぶん二十三丁目が川にぶつかるところまで、何台ものトラックに飛び乗って、乗りついで行くというものだった。一台のトラックが角をちがう方角に曲がり、いちばん近くにいる次のトラックの車高のほうが二フィートも高かったときにはそれは生易しいことではなかった。上手くやりとげるまでに彼は三回か四回スタートをやりなおさねばならなかった。彼はこのアイデアを学校で見た『きこりの物語』という映画から得た。彼はハイスクールを出て、仲の良い女友達と結婚し、責任のある仕事に就き、夜学に通っていた。

この二人の男と他の男の乗客たちは四人の少年がデッキの上で跳ねたり身を揺すったりしているのを見て、こう思った。あんなふうに電車に乗るのって楽しいんだろうな、と。とくに今は気候も良いし、トンネルを出てブロンクスの地上高くに出ているのだもの。それから乗客たちはこう考えた。あの子どもたちはずいぶんつまらないことをしているじゃないか、と。あいつらはまだまったくの子どもなんだ。彼らは自分たちが昔やった勇敢なことをいくつか思い出し、少年たちが身を揺すっていることなんてそれほど危ないことじゃないさ、と思う。

女性の乗客たちは四人の少年を見て腹を立てた。多くは眉を寄せて、少年たちがその顔つきから彼らの行為に対して自分たちが不快感を持っていることに気づいてくれればいいのにと思っていた。女性の一人は立ち上がって「あなたたちもう危ないことはよしなさい。デッキから降りなさい。でないと警官を呼びますよ」と言いたかった。でも少年たちのうちの三人は黒人だったし、あとの一人は何系なのか彼女にもよくわからなかった。彼らが自分を嘲笑《あざわら》ったりからかったりしてばつの悪い思いをさせられるんじゃないかと思うと、うまく立ち上がれなかった。殴られたりすることはそれほど怖くなかったが、ばつの悪い思いをすることが怖かった。

もう一人の女性はこう思った。あの子たちの母親はあの子たちがどこで何をしているのか知らないんだわ、と。この日に限っていえば、彼女の推測は間違っていた。四人の母親たちはみんなちゃんと知っていた。子どもたちが十四丁目のミサイルの展示会を見にいったんだということを。

デッキの上では電車が加速を加えるたびに少年たちは両手を上げて空に向け、ロケットが発射される真似をした。それから彼らは飛散防止《シャッタープルーフ》ガラスの枠をタタタと叩いて機関銃の真似をした。その展示会には機関銃は展示されていなかったのだが。

運転士にしかわからない何かの理由で列車は突然スピードを緩めた。ばつの悪い思いをすることを恐れていた女性は少年たちが前に後ろに体をねじって、ゆらゆらと揺れている安全鎖を摑むのを目にした。彼女も子どもを持つ母親だった。彼女は意を決して席を立ち、ドアのところに行った。そしてドアを開け「あなたたち怪我するわよ。死ぬわよ。隣の車両に入ってじっとおとなしく座っていなさい。でないと車掌を呼びますよ」と言った。

少年たちのうちの二人は「はい」と言って、言われたとおりにしようとする素振りを見せた。あとの二人は目を細め、唇をぎゅっと結んだ。列車は再びスピードを上げた。ドアは自然に閉まり、女性と少年たちを隔てた。彼女はサイド・ドアにもたれかかった。次の駅で降りなくてはならなかったからだ。

少年たちは大きく目を開けてお互いを見つめ、そして声をあげて笑った。その女性は真っ赤になった。少年たちは彼女の様子を見てもっと激しく笑った。彼らはお互いの背中を叩きあった。サミュエルは一番激しく笑い、アルフレッドの背中を彼が咳きこんで涙を流すまで叩いた。アルフレッドは鎖の鉤にしっかりと摑まっていた。彼の目の涙をみるとサミュエルはもっと強くその背中を叩いた。「お前、何を泣いてるんだよ？　お前、赤ん坊かよ、え？」と彼は言って、笑った。一人の男は、彼の少年時代は向こう見ずな行ないをするよりは観客の側にまわるほうが多かったのだが、腹を立てた。彼はすっと立ち上がってしばらく少年たちを見ていたが、やがていかにも市民らしい足取りで車両の最後尾まで歩いていって、非常ブレーキの紐を引いた。殆ど一瞬にして耳をつんざくような甲高い音とともに圧縮空気がブレーキを抜けだした。そして車輪は回転をやめて停止した。

いちばんしっかりしたところに立っていた乗客でさえ前にのめり、それから後ろに転んだ。ところだった。サミュエルはアルフレッドと同じようにトムをも叩こうとして鎖から手を放したところだった。すべての乗客は前に後ろに激しく振り回されたが、彼は前に投げ出されたただけだった。そしてまっさかさまに落ちて頭を砕かれ、車両にはさまれて死んだ。

駅に半分入りかけたところで列車は停まっていた。車掌はすぐに電話をかけて、こういう事故死を扱い馴れていて車輪やブレーキの間から死体をひっぱり出す方法に通じている列車乗務員を呼んだ。車両の中はしんと静まり返っていた。よその車両から人がやってきて、おいどうしたんだ、何があったんだ！　と尋ねているだけだった。女性の乗客たちはそこでじっと待ちながらあの子は一人っ子かもしれないと考えていた。男たちはひどい結果に終わった何度かの午後のことを思い出していた。小さな子どもたちはくっつきあって、互いによりかかって、肩や腕や脚を触れあわせていた。

警官がやってきてドアをノックし、事故のことを知らせたときサミュエルの母は金切り声をあげた。彼女は一日じゅう泣き叫び、一晩じゅう苦悶の涙を流した。医者は薬で彼女の神経を鎮めようとはしたのだが無駄だった。

ああ、ああ、と彼女は救いのない叫び声をあげた。あの子のような素晴らしい子どもはもう二度とは持てないだろう、と彼女は思った。でも彼女はまだ若い女性で、やがて妊娠した。数カ月の間彼女は希望を抱いていた。子どもは男の子だった。赤ん坊が彼女のところに連れてこられて、彼女は子どもをあやした。彼女はにっこりと微笑んだ。でもその子がサミュエルでないことは彼女には一目でわかった。彼女はその後も夫との間に何人か子どもを作った。しかしサミュエルとそっくり同じような少年がこの世に現われることは二度とないのだ。

The Burdened Man

重荷を背負った男

男は金銭的な重荷を背負っている。来る日も来る日も金が必要だった。あとからあとから金は出ていった。日用品を買い求め、日々を生きていくための金。だから休暇は彼にとって苦痛でしかなかった。週末もやはり苦痛だった。休みには金も稼げないし、昇進の算段もできない。

だから彼は家にいて、息子の暮らしぶりや妻の暮らしぶりを見張っているしかない。二人とも金のことなんて考えもしないようである。彼らは愚かなわけではないのだが、でも廊下の電灯をつけっぱなしにする。電気代の無駄だ。妻は料理ばかりしている。彼女は肉料理を作らないと気がすまない。じゃがいも料理を作り、オレンジ・ジュースを食卓に並べなくては気がすまない。彼は健康になることに異議を唱えているわけではない。でも高いガス代を払ってわざわざロール・パンを焼く必要はないのではないかと思う。息子は何件も電話をかける。それが終わると妻も電話をかける。そのたびごとにATTのメーターがかちかちっと上がり、そのぶんがIBMに加算される。ある日、彼らは重複してそれぞれに三つの新聞を買った。別の日には息子が庭で遊んでいる。だいたいが不注意な子どもなのだ。転んでズボンを破いてしまったとしても不思議はない。この出費は土曜日に記録された。日曜日には憤慨した隣人がやってくる。ズボンはもともとその隣人の子どものものなのである。それを貸したら破かれて返ってきたのだ。上等の細畝《ほそうね》のコーデュロイのズボンで、五ドル九十八セントした。

これを耳にしたとき、男は逆上してしまう。そんな金をいったいどこから捻出すればいいのだ。実を言えば、男は相当な高給をとっていて、週に五ドルずつ、息子を大学にやるために貯金している。毎週これを続けていて、総額は二千七百五十ドルに達している。しかし一生を支える金をどうやって工面すればいいのか？　玄関口で、彼は声もなく、隣人に六ドルを現金で支払い、釣りの二セントを受け取る。彼は自分の手の中の二枚の硬貨をじっと見る。自分が文無しになったような気がする。なんだか気が遠くなってしまいそうである。強くならなくてはと思って、彼はその二セントを隣人に向かって投げつける。隣人は悲鳴をあげて逃げ出す。彼は二ブロック追いかける。彼女の夫は日曜出勤しているので、助けには来てくれない。子どもたちも映画を見にいってしまった。角の郵便ポストのところまで来て、彼女はそこにもたれかかる。彼女は恐怖に駆られて後ろを振り向き、六ドルを男に向かって投げつける。彼は宙に舞う紙幣をつかむ。そしてその紙幣を力の限りに投げる。それは枯れ葉のように彼女のコートに落ちかかる。彼女は叫ぶ、「やめて、やめて！」と。

すぐにどこかから警官が駆けつける。大の大人が叫び声をあげながら紙幣を投げつけあっているのを見て顔をしかめる。でも豊かな木立と綺麗な芝生に囲まれた閑静な住宅地である。もういいから行きなさいと警官は言う。そしてふたりが同じ方向に帰っていくのを（ふたりは隣同士なのだ）じっと見守る。

どちらも相手を怒らせたことを詫びる。

彼女は言う、「ズボンのことはいいんです。ビリーはズボンはいっぱい持っているんです」。彼は言う、「お金のことなんてかまいません。六ドル？　はした金じゃありませんか」

それから二人は彼女の家でコーヒーを飲み、それぞれの事情を説明する。そして自分たちが若かったときの話をそれぞれに語る。そのあとで二人は友だちになる。日曜日の午後になるとお互いを訪問するようになる。彼女の夫は仕事にでかけ、彼の妻子は映画にでかけている。

金曜日の夜に、男は地下鉄の長い階段を三階ぶん上がる。彼の住んでいる郊外行きのバスが来る前にケーキ屋に寄って、苺《いちご》のショートケーキを買う。彼は妻と子どものためにその苺のショートケーキを買ったのだ。

それでもやはり、物事は変化を遂げる。夏がやってきて、隣人は三人の子どもたちをロング・アイランドの海岸にある小さなサマー・ハウスに連れていく。帰ってきたとき、彼女は淡い紅茶のような色に焼けている。ローションを使ったせいでそれにオレンジ色も加わっている。彼女の最初の挨拶も、そしてそれに続く応対も彼にはすごく素っ気なく感じられる。彼は親しみを表に出して彼女に接したというのに。「やあ、すごくいい色に焼けましたね」と彼が言うと、彼女はただ「どうもありがとう」と答えたきりだった。彼だって休暇中にしっかり日焼けしたというのに、それについては一言もなかった。

ある土曜日の朝、彼はベッドの中で、家が空っぽに、静かになるのを待っていた。妻と息子はいつも九時までにはスーパーマーケットに買い物にでかけてしまうのだ。ふたりがカートとショッピング・バッグを持って、車に乗って行ってしまうと、彼はこう考えた。私と隣の奥さんは日曜日になると二人で親密に話しこんでいた。そろそろ一歩先に進んで、深い仲になる方策を考えてもいい頃ではないか。

そういう関係を開始するにあたって、台所こそ最適な場所ではないだろうか、と彼は思った。なんといっても狭いのがいい。相手は三人の子を持つきちんとした女性だし、それなりの体裁をつけるためにも最初からイエスとは言わないかもしれない。最初はきっと手をふりほどいて逃げようとするだろう。でも皿洗い機の前なら、逃げるにも逃げようがないだろう。

別の可能性。もしコーヒーが既にテーブルの上にあれば、彼女がそれを注ぐ準備をするときに、隣に寄るかもしれない。彼はコーヒー・ポットを彼女から取り上げてポット敷きの上に置くだろう。そして彼女の両手を取り、じっと目をのぞきこむ。彼女は彼の想いを察して、次の日曜日に二人だけの時間をつくるべく、頭の中でせっせと画策を始めることになるだろう。

もうひとつの可能性。居間のソファー、前にコーヒー・テーブル。彼ははっきりと、でも困ったように切り出す。「僕の人生はひどいものだ。君とうまくやっていければと思うんだ」。これは最も強力な計画だ。何故ならその先の計画を考える必要がないから。それだけ言ってしまえば、すぐに彼女を抱きしめることだって可能かもしれない。彼は彼女のスカートをまくり、もし彼女がガードルをはいていなければ、そのまま彼女の中に入ることもできる。

翌日は日曜日だった。彼が電話をかけると、彼女は「ええ、こちらにいらっしゃれば」と素っ気なく言った。最近はいつもそういう声音だった。おおよそ十分後に、彼は隣家の台所のテーブルでコーヒーが運ばれてくるのを待ちながら、庭の妻の花壇から切って持ってきた花を花瓶にあしらっているところだった。百日草の最初に咲いた四輪だった。そのとき彼は隣人の夫が壁を這うようにこっそりと彼の方に近づいてくることに気がついた。夫は馬鹿面をしていた。たぶん酒が入っている。男は言った、「何ですか……何か……」。男は彼女の夫とはそれまで口をきいたことはなかった。そして相手の家の中で、ほとんど両膝をつくような格好でいる夫の姿を目にして、言葉を失ってしまった。

「このイタ公め……」と夫は言った。「ここに来て二十分もたってねえのに、もう終わりやがったのかよ、この早漏野郎……あっという間におしまいか……そういうのがあの不感症の畜生女の好みかよ」

「ちがいますよ……そうじゃない……」と男は言った。彼は彼女が不感症であるという夫の発言に対して反論したのである。彼としても確信を持って断言できるわけではなかったのだけれど。「ちがう、そんなことない」と彼は言った。「彼女はそんなことない」

「お前もよくまあ物好きにあんなぶよぶよのでかいおっぱいを……」と夫は言った。

「おい！」と男は叫んだ。彼はそれまで彼女のその部分のことをろくに考えたことがなかった。彼の考えていたのはおもに彼女のスカートの下がどうなっているか、太腿がどうなっているかということだった。この男は酔っていると彼は思った。でなければ自分の妻についてそんなひどいことは言えないはずだ。

それから夫は彼に向かって酔っぱらった手つきでピストルをひらひらと振った。映画ではそういうのはよく見かけるが、でも実際に目にするのは初めてだった。夫がピストルを持っているのは不思議ではない。警官なのだから。

彼はちょっとは名の知られた警官だった。彼は一度、都会に出てきて人込みのせいで頭がおかしくなった田舎の少年を殺したことがあった。その少年は恐怖に駆られて一日じゅうセントラル・パークのまわりをぐるぐる走っていた。少年はアンダーシャツ姿だったので、人々は運動選手だと思っていた。でもある日、少年はとうとう公園の中に入った。そして包丁で赤ん坊を一人殺し、あと二、三人に傷を負わせた。「人が多すぎる」と少年は殺しながら叫んだ。

警官は勇敢にも彼の手から包丁を取り上げた。でもその哀れな少年はズボンの裾ポケットから別の長いナイフを取り出した。だから警官としても相手を射殺しないわけにはいかなかった。彼はその事件で表彰された。彼はあとになってよくその午後のことを思い出した。そしてこう思った。俺は一度は勇敢に振る舞えた。でも二度やれるほど勇敢ではなかったんだと。

今こうして相手の男を睨みながら、彼は思い出そうと努めた。俺の抑制はあのときどこに消えちまったんだろう、あの少年に対する恐怖が俺に力を与えたのだろうか。どんなふうにして俺はあの気の狂った少年を殺すことを決断したのだろう?

突然女が台所から出てきた。夫が酔っぱらって、目を血走らせているのを目にした。ピストルを手にして、目の前でそれをふらふらと振っていた。まるでそこにかかった霧かスモッグを払うみたいな格好で。夫は前にも人を殺したことがある。

「この人にかまわないで」と彼女は夫に向かって叫んだ。「人でなし！　子ども殺し！この人にかまわないで」と彼女は怒鳴った。そして男を自分のぽっちゃりとした体にぎゅっと引き寄せた。彼としてはそんなことをされるのを望んでいたわけではなかった。彼の顎は女の巻きつけ型の家庭着のVネックに押しつけられた。

「おい、女房のシャツから離れろ」と夫は言った。

「この人を殺すのなら、私も殺してちょうだい」と彼女は言って、男を思いきり抱きしめた。どっちに鼻を向けたら息ができるのか彼にはよくわからなかった。

「いいとも、いいとも、そうしてやろうじゃないか」と夫は言った。「そうしてやるぜ、この売女《ばいた》め」

それから引き金にかけた彼の指に力が入った。彼は何発も撃った。男と女と、壁と、ピクチャー・ウィンドウと、コーヒー・ポットと。下を向いて、売女、売女と叫びながら、彼は床に向けて一発撃った。弾丸は彼の靴を貫いて、両方の親指を永遠に砕いてしまった。

朝刊の早版にはこういう記事が載った。

クイーンズ区の警官逆上乱射

妻の浮気に怒り心頭、同僚に逮捕される

アーマンド・キーリー巡査部長は隣人アルフレッド・チアロと妻との仲を疑い、自宅の台所と夫人と自らと自らの経歴を撃つことによって事態に終止符を打った。キーリーは百十五分署の同僚の手で逮捕されたが、同僚の証言によれば、同巡査部長はここのところ気を病んでいたようだった。処分は未定。キーリー夫人は記者の質問に対して「やめて、やめて」と答えた。

重荷を背負った男は三日間入院して、肩の傷の治療を受けた。費用はほとんど保険でカバーされた。それから彼は家を売って、別のバス路線の別の住宅地に移った。地下鉄の駅だけは前と同じだったけれど。

それ以来、老齢が姿を現わして男を驚かせるまで、彼はもうほとんど不幸というものを感じることがなかった。

実際の話、それから何年間か、朝が来るたびに、彼は自分の心臓の心室から温かいあらたな活力の混合物が冷えた四肢に向けて送りだされていくのを、ひしひしと実感として感じることができたのである。

Enormous Changes at the Last Minute

最後の瞬間のすごく大きな変化

ひとりの青年がアレクサンドラに向かって、君とベッドを共にしたい、君はとても興味深い精神を持っているから、と言った。彼はタクシーの運転手で、彼女も実は、この人の頭の後ろの巻き毛は素敵だと思っていた。それでも彼女はやはりびっくりしてしまった。一時間半後にもう一度迎えにくるからさ、と彼は言った。彼女は公正で責任感が強かったので、二人の間に「真実の報知」という障壁を設置した。彼女は言った。あなた、これまで中年の女性とつきあったことって、そんなにないでしょう。君はそんなに中年っぽく見えないよ。というか、人は自由に誰かを好きになるものじゃないか。要するに僕はね、君のものの見方とか、君の生き方とかに興味を持ったんだ。いずれにせよ、と彼は言って、ミラーをじっとのぞきこんだ。君は素敵な顔をしているよ。眉毛が最高だよね。

二時間後ということにしてくれる? 私はお父さんを訪ねるところだし、私は父のことをたまたま愛しているのよ。

僕も僕のお父さんのことを愛しているよ、と彼は言った。でも父さんは僕のことがそんなに好きじゃないんだ。すごくすごく悲しいことだね。

オーケー、もうやめましょう、と彼女は言った。というのは二人はすでに以下のような自己紹介的な事実の交換をすませてしまっていたからだ。

君の子どもはいくつなの?

一人もいない。

それはどうも。じゃあ仕事は何をしている?

子どものことよ。十代の初めくらいの子どもたち。養子縁組、引き取り先の家族。保護観察。トラブル——まあそんなとこかな……。

どこの学校に行ったの?

いくつかのシティー・カレッジに。あなたは?

ああ僕ね。いろんなところに行ったよ。アンティオク。ウィスコンシン。カリフォルニア。いつかまた大学に戻るかもしれないな。でもちがう学校がいいな。ひょっとしてハーヴァードとか。

A&Pにクリネックスを配達している十六個の車輪のついたトレイラーをわきに退かせるために、彼はクラクションを思いきり鳴らした。

そういうのやめてくれない、と彼女は言った。そういう運転の仕方って好きじゃないのよ。

なんで？ ああ、君は理想主義者なんだ！ 彼はバック・ミラーの中の彼女の目をまっすぐのぞきこむ。でもさ、君は結婚していたことある？ 以前に？

一度だけ。何年か。

誰と？

簡単には説明できない。革命家《レヴォリユーショニスト》よ。

ほんとう？ 僕はその人の名前を知ってるかな？ なんていう名前？ 最近はすっかり「革命的」だよね。

そうなの？

ところでさ、僕の名前はデニス。たぶん君のことが気に入ったみたいだ、と彼は言った。

へえ、そうなの。だけど、どうして？ それと、ひとつ質問していい？ 「最近」ってどういう意味なの？

やれやれまったくもう、勘弁してほしいなあ、と彼は言った。少しだけ訛りを感じさせるようなしゃべり方で。べつに悪意ないんだから。

最近だって！ と彼女は言った。いったいどういう意味よ、それ？ あなたは自分のことを最新流行かなにかだと思っているんでしょう。あんたなんて最新でもなんでもないわ。電話はかつて最新だった。飛行機もかつて最新だった。でもあなたみたいな人はずっと昔からこの世界にいたのよ。

わお！　と彼は言った。彼は病院の入口のちょっと手前でタクシーを停めた。そして彼女をじっくりと見て態度を決めるために、後ろを振り向いた。たしかに君の言うことは正しい、と彼は優しく言った。人の精神というのは驚異的なものであり、長生きをするエロチックなものであるということを君は知っている。

そうなの？　と彼女は言う。そして考える。精神の平均寿命って何歳くらいなのかしらね。

八十年ってところかな、と彼女の父は言う、何かを教えてやれるのを嬉しく思いながら。かつて父は雷雨の説明をしてくれたことがある。いちいち『物知り事典』をひっぱり出す手間なんかいらない。老齢という洞窟の中に入りこんだ今でも、彼は素晴らしい情報をどんどん取り込み続けている。しかし彼は年をとっていることにうんざりしていた。彼の動脈にはもう先の希望はない。そしてそのくたびれ果てた血管組織についての会話が、きわめて興味深い題目をしばしば追いやってしまった。

ある日彼はこう言った。アレクサンドラ！　私にもう二度と日没を見せないでおくれ。そんなものにもう興味がないんだ。お前にだってわかるだろう。彼女はその直前、病院の窓の外のごく普通の日没を指さしたところだった。夕日は赤いボールみたいだった。ただそれだけがぽつんと空に浮かんでいて、夕暮れの帯状の雲なんかもぜんぜんない。赤いボールが救いようもなく西に沈んで、ハドソン川やジャージー・シティーやシカゴやグレート・プレインズやゴールデン・ゲイトをかすめて、ただただ沈んでいく。

それから彼はロシア語で、溜息まじりにプーシキンを少し引用した。「私のために春はなく」。私のためでなく《ニエ・ドゥリャ・メニャ》……彼は眠った。彼女は大きな活字版の『八月の砲声』を読んだ。半時間後に彼は目を開けた。そして彼女に向かってその朝の「ニューヨーク・タイムズ」に載っていた記事の話をした。紀元前五〇〇年頃にフェニキア人が、どのようにして帆船で海を渡ってブラジルまで行ったかについて。優秀な連中だ。ヴァイキングたちも優れた民族だ。父親は中国人やユダヤ人やギリシャ人やインド人の優れた点について語る。古代に交易に活躍したすべての民族について。実際のところ、彼がひとつの国家全体をこきおろしたりすることは、まずない。十九世紀の終わり頃に、彼の年若い両親（ツァーたちによる暗黒の専制の中で蠟燭《ろうそく》をかかげた人々）によって、父の中にはインターナショナルな寛容さがはぐくまれたわけだ。子ども時代の訓練のたまもの。そして思慮深い父は、それを自分の子どもたちにも引き渡した。

父親の隣の病床では、ジョンという名前の患者が、南アフリカにおける黒人の急激な台頭や、何をしでかすかわからないシカゴの黒人たちや、黄色い肌の中国人や、オスマン・トルコについての恐怖を訴える。彼はアレクサンドラの父親よりは、未来について怯えるべき正当な理由を持っている。というのは心臓がまだまだ丈夫だからだ。彼はおそらく生き延びて、そのような事態のもたらす結末を目にするだろう。トルコ人たちがニューヨークにやってきたら、さまざまな病気を持ちこむはずだと彼は信じている。コレラや悪性の猩紅熱《しょうこうねつ》や、とりわけレプラを。

レプラ！　よしてちょうだいな！　とアレクサンドラは言った。ジョン、あなた、現実というものに目を向けたらどうなの！　彼女は「ニューヨーク・タイムズ」に載っていた記事を読み上げる。爆撃で焼かれた北ヴェトナムのレプラ患者のコロニーの話を。彼女の父親は言った。おいおい、今日はプロパガンダは勘弁してほしいね。どうしてお前はそんなにアメリカ合衆国をいつもいつもこきおろすんだい？　父親は自分が生まれて初めてアメリカ国旗を目にしたときのことを回想する。荒涼としたエリス・アイランドに翻っていた旗を。その庇護の下で馬のごとく労働に励み、ディッケンズを読み、医学校に進み、まるで地対空ミサイルみたいに見事どかんと中産階級に命中したわけだ。それから彼は言った。でもチョコレート・プディングの真ん中に旗を立てたりするのはよくないね。馬鹿げている。

今日はメモリアル・デイです、と看護助手が言った。そして彼のトレイをさげた。

夕方近く、デニスはアレクサンドラのアパートメントの、ひとつひとつの部屋をのぞきこみ、あちこち眺めまわした。この人口過密の時代にぜいたくだよな、と彼は独り言みたいにつぶやいた。彼はキッチンに入って、料理の匂いを嗅いだ。まあいいか、と声に出して言った。レンジにかかっていた鍋のグレービーを指ですくった。ビーフシチューか、と彼はささやいた。それから冷蔵庫のフリーザーをのぞきこみ、こりゃあすげえや、と言った。そこには同じビーフシチューが十一個の塊りになって、きちんと積み重ねられ、冷凍されていたからだ。それはアレクサンドラの麻薬中毒者《ジャンキー》たちのためのものだった。彼らは服用しているメタドン（ヘロインの代用品）のせいで大量の蛋白質と炭水化物を必要としていたのだ。

僕だったら、そんな連中を自分の家に入れたりはしないな。カップとソーサーがまだひとつでも残っていること自体が驚きだよ。屑みたいなやつらさ、とデニスは言った。いやいや、もちろんこいつは喜んで食べさせていただきますよ。どうしてかな？　それは僕に家庭とか、何かそういうものを思い出させるのだろうか？　うん、昔見た映画のことを思い出すんだと思うな。

りんご菓子パン！　そうだね、僕らのコミューンにはまだまだ改善の余地があるってことは認めなくちゃいけないよね。たぶん場所がブルックリンで、食料品の組合活動が結束していないからだろう。でも彼らは批判には耳を傾けてきた。それは良いことだよ。

ここにはずいぶんたくさんがらくたがあるんだね、と夕食のあとで彼は指摘した。彼は敬意をこめた関心を払いつつ、その場所を眺めていたのだった。彼の言う「がらくた」とは、安楽椅子とかスタンドとか、デスクセットとか、彼女の祖母の結婚写真とか、彼女の父親のステッキが二本入っている傘立てとか、そういうもののことだ。

うん、とアレクサンドラは言った、ここは家賃統制指定のアパートメントなのよ。

僕が何をしたいかわかるかい、アレクサンドラ？　僕はどこかの女の子と並んで座って、テレビで夜の映画を見たいんだ、と彼は言った。それはこの時刻に、普通のアメリカ人がやっていることだよね。みんなと調子を合わせるというのは、けっこう大事なことだよ。平均的な人間というものを理解しなくちゃ。君はそいつにならなくちゃいけない。まさにそいつになるんだ。そういうのはね、いんちきなおしゃべりにかまけているよりは、かっこいいことだよ。そうすれば君だって、びっくりするくらいフレンドリーになれるさ。

私はなにもフレンドリーになることに反対しているわけじゃないわ、と彼女は言った。アメリカ人に反対しているわけですらない。

二人はマルクス兄弟の『マルクス一番乗り』を半分くらい見た。こういうのってすごくほっとするんだよな、と彼は言った。でもちょっと長すぎるね。それから彼は服を脱ぎ始めた。両腕を差し出して彼は言った、アレクサンドラ、僕はもうほんとに待ちきれないんだ。僕は早起きの人間なんだ。夜も早く眠る。二、三日ここにいさせてもらってもいいかな？

彼はその理由をあげる。

1　今はメモリアル・デイの週末で、ブルックリンの家《ハウス》はトリップしている訪問客でいっぱいである。

2　いずれにせよ彼はみんなにうんざりしている。なぜなら彼らは素晴らしく美しいバティックをやめて、ファッショナブルな絞り染めに変えてしまったからだ。

3　彼とアレクサンドラは朝に公園を楽しく散歩することができる。今はどの公園も仄《ほの》かな緑に包まれている。通りの角にある樹木は、バスのおかげで死にかけているにもかかわらず、小枝の先の方がちゃんと緑になっていることを彼は目にとめていた。

4　彼は若者たちについて彼女と語り合うことができる。彼らの悩みを彼女が理解することを助けてあげられる。彼らの持っている信じがたいほどの美点について。七年間ほどの無益な歳月のおかげで、自分はもう彼らの仲間に入れないのだが。

そんなにいくつも理由を並べたてる必要はないわよ、とアレクサンドラは言った。そして彼のためにブランデーを注いだ。よしてくれよ！　と彼は声を荒らげて言った。酒はやらないって、わかっているだろう。暗い表情をちらっと顔に浮かべながら、彼は山歩きにでも使えそうな頑丈な靴を脱ぎ始めた。ズボンを脱ぎ、それがすっかり身体を離れたことを確かめるためにとんとんと二度ばかりその上で足踏みした。

アレクサンドラはその春はじめて袖をとおしたサマードレスを身にまとったまま、立ちすくんでその様子を眺めていた。彼女は大きくふうっと息をした。この一年か二年、彼女は男っけなしで生きてきたのだ。心臓が外に飛び出してしまわないように、そしてどきどきという派手な鼓動をたしなみ深く静めるために、彼女は両手を胸骨の上に置いた。それから二人は寝室のベッドに移り、騒々しい鼓動が一段落するまで愛を交えた。内なる音はもう、ぴたりとも聞こえなくなった。二人は眠りについた。

朝がやってきて、現実に対する興味が再び彼女に戻ってきた。現実こそ、彼女が常に変わることなく好んでいたものだった。彼女はそれについて語りたかった。彼女はジョンの話を始めた。父親の隣のベッドで寝ているジョン。

トルコ人？ そいつはいいや！ うん、その人の言うとおりだ。いや、それだけじゃない。レプラはもうすぐやってくるよ。それはフォレスト・ヒルズ・カウンティー・フエアや、ライカーズ・アイランド・ジャンボリーや、フィルモア・イーストや、ウェストチェスターのエコロカウンティー・ガーデンズに来るんだ。八月になったらね。

現実《リアリティー》？ 現実についての教訓？ 僕はタクシー運転手か？ ちがうね。僕はたしかにタクシーを運転しているが、タクシーの運転手とはちがう。僕は歌人《うたびと》だ。ソング・メーカーだ。別の言葉で言えば詩人だ。ねえ、知っているかい？ 昨今通りを歩いている黒人はひとり残らず詩人なのさ。でも白人どもに限ってみれば、まあ十人に一人ってところさ。十人に一人だよ。

最近では僕はずうっと「レプラ患者たち《ザ・レパーズ》」というバンドのために書いているんだ。詩なんかクソ食らえ。ザ・レパーズは僕のことをイカシてると思っているし、僕も彼らのことをイカシてると思う。

ザ・レパーズ？　とアレクサンドラは言った。

すげえ。君は連中のことを知っているの？　知らない？　うん、あるいは君は昔のバンド名でしか聞いてないかもしれないね。昔の名前はザ・スプリット・アトムっていうんだ。でも有名になりすぎちゃってね、そういうのがうざったくなったんだ。そういう連中なんだよ、なにしろ。この名前だって夏のフェスティヴァルが終わったらたぶん変えちゃうだろうな。田舎に閉じこもって、ウィンター・モスなんて名前にしちゃうかもしれない。

あなたは今、それでちゃんと生計が立つの？

ああ、ちゃんと立っているよ。みんなで手仕事をしながら生計を立てている。

今は何をしているのか――僕は十二人の大人と三人の子どもによって成り立っているコミューンの三分の一を、財政的に支えている。僕はこうしてタクシーを運転しているが、それはつまりね、アレクサンドラ、世界をきちんと把握しておくためであり、いろんな人たちといろんな話をするためなんだ。ブルジョワジーとか、高級娼婦とか、あるいは父親の見舞いにでかけるまともなご婦人たちとね。おっと、これは失礼。

さあアレクサンドラ、こういうのを想像してみてくれ。ベースギターが二本、カントリー・ヴァイオリンが一丁、ピッコロがひとつ、それにドラム。ザ・レパーズのテーマ・ソングだ！　彼はベッドの上で身を起こしている。太陽が彼の胸に照っている。朝食のことが気になりはじめている。でも彼は歌う。アレクサンドラに自分のことをもっとよく知ってほしいし、しっかりと中身のある人間であることを理解してもらいたいから。

おおおおお。
最初に俺の指が行っちまってさ、
それから鼻だ。
　それからベイビー、足の指だ。
もしお前がこんな俺を、とにかく、いつでも好きなのなら、
俺はお前とどこまでもだね、
　俺のリトルネック・ローズ。

どうだい、と彼は尋ねた。彼はアレクサンドラをじっと見ていた。彼女は今にも泣きだそうとしているのか？　ねえ、君は現実が大好きだと思ったんだけどな、アレクサンドラ。現実社会での物事のありかたは、こういうものなんだ。そうさ！　それから彼は詩を補足するために、短い散文のエッセイを読む。

若者たち！　若者たち！　彼らの頭上にはいくつもの恐ろしいトラブルがのしかかっている。たとえば彼らの周知の世界は爆弾によって、瞬時に究極的な終末へと向かう。あるいはまた自然資源は、徐々に無反省に破壊されていく。それでも彼らは現在のところ、まだオプティミスティックであり、ユーモアを失わず、勇敢である。そうなんだ、彼らは最後の瞬間のすごく大きな変化をもくろんでいるのだ。

ちょっと待ってよ、と冷徹にして、一般論の宿敵であるアレクサンドラは言う。世間にはいろんな種類の人がいるわ。私のところに来る子どもたちはそういうタイプじゃないわよ。

いや、ちがうね、と彼は憤慨して言う。ここに彼らを連れてきてごらんよ。僕が証明してやるからさ。いずれにせよ、僕は子どもたちが好きだ。彼はおおよそ二十分間にわたって、朝食のことも忘れて、アレクサンドラに向かって、今世紀のこのパワフルな後半部にあって物事をどのように見るべきかを示そうと試みる。彼女も試みる。彼女はこれまで常に進歩的な気性を持ちつづけていた（ときどきは改良主義程度にもなったけれど）。でも今は、彼の話に耳を澄ませながら、太い愛の肉棒の向こうに、孤独な老年と寂しい死をはっきり目にすることができた。

でもね、何も恐れることなんてないんだよ、お前、とアレクサンドラの父は言った。怖がることなんて何もないのさ。もう人生の役割は終わってしまっているんだもの。実際に自分がそうなってみたらね、そんなに長生きしたいとは思わなくなるものだ。たとえて言うなら、あらかた燃え尽きて、ぶすぶすくすぶっている石炭のようなものだ。そのうちに燃えるものもなくなって、それでおしまいだ。私の言うことを信じなさい。まだ私自身はその段階には至っていないけれど、でもちゃんとわかるんだ。そのときになったら、べつに怖いともなんとも感じないってね。その言葉を耳にしながら、アレクサンドラの顔は少しだけけしわくちゃになった。

そんな目で私を見ないでくれ！　彼は彼女の顔つきに対して過度といってもいいくらい敏感になっていた。彼女が年をとって見えだしたことが、父親には気に入らなかった。でもこの二十年間というもの、アレクサンドラはそうならざるを得なかったのだ。彼は言った。いいかい、私は人々が死ぬのを目にしてきた。たくさんの数の人々だ。一人や二人じゃない。たくさんだ。みんなしっかり準備ができている。苦痛。絶望。意識不明、悪夢。申し分のない昏睡《コーマ》が、悪夢によって損なわれる。準備は万端。お前もそうなるんだよ、サシュカ。案ずることはない。

ほ、ほ、ほ、カーテン越しに隣のベッドで話を聞いていたジョンが冗談っぽく笑う。おい先生《ドク》、俺は準備なんかできてないよ。すごく気分悪いし、ろくでもない夢ばかり見る。一睡もできない。しかし俺には準備なんてできていないね。チューブをつけなきゃ小便もできない。たまらなく寂しい！　やれやれ！　俺の子どもが一人でもここに見舞いにきたのを見たことがあるかね？　ないだろう！　それでも、俺には準備なんてできていないんだよ。NOT READY。彼は綴りを読み上げる。天井を見ながら、あるいはその向こうにある不治の患者のための屋上庭園を見ながら、そしてまたそこから神様を見ながら。

翌日の朝、デニスが言った。僕は病院に入るくらいなら死んだほうがいいな。

どうして？　どうして？　他人の手にゆだねられたくないからだよ。連中は僕が持っている薬を、それが効くと僕にはわかっていても、飲ませてはくれない。そして連中の薬を必要としているときには、ブザーを押しても誰も来てはくれない。看護婦と三人のインターンが、受付でよろしくやっているからさ。僕は見たことがあるんだ。丈の高いカウンターでね、彼女は質問に答えている。その背後から、やつらは順番にやっているんだよ。

デニス！　馬鹿なことを言うものじゃないわよ。それじゃまるで、レイプ妄想にとりつかれた縁起かつぎのおばあさんみたいじゃない。

言えてるね、と彼は言った。こと健康に関しては、僕はまさにその辺のばあさんなみなんだ。けっこうなことじゃないか。僕はしっかりした自分の歯を持っていたい。そうなんだよ、シスター、と彼は歌いだす。そして歌いやめる。いいかい、君の運命は彼らの手中にある。すべては連中の胸ひとつだ。君は生きてるか？　それとも君は連中の観点から見て、ろくでもない役立たずのヒッピーだろうか？　じゃあ死ねってところさ。

　やれやれ。誰かを死なせようって決める人なんてどこにもいないはずよ。だいたいの話、それがいけないのよ。まともなら死んでいた人たちを、その後何年も生かしておくくらいだもの。

　君のお父さんみたいにということかい？

　アレクサンドラは一糸まとわぬ姿でベッドからぱっととび出した。私の父がなんですって！　ねえ、彼はあなたなんかの二十倍くらい元気だわ。

　まあまあ、落ち着きなよ！　と彼は言った。戻っておいで。さっきファックし始めたばかりなのに、そんなにかりかりすることないじゃないか。

　もうひとつ言っておきますけど、そういう言葉を使わないでちょうだい。私は好きじゃないの。女性と一緒にいるときには、相手の女性にふさわしい言葉を使うものよ。

　僕にどういうふうに言ってほしいんだ？

　こう言ってほしいわね。さっき君とメイク・ラブを始めたばかりなのにとか、そういう具合に。

　たしかにそのとおりだ、とデニスは言った。言い直そう。彼女がベッドに戻ってくると、彼は彼女の指先に触れただけだった。彼女の身体はすっかりそこにあったというのに。彼は指の一本一本にキスして、そのたびに「僕は君とメイク・ラブしたい」と言った。皮肉っぽくではなく、優しい口調で。

ねえデニス、とアレクサンドラは（そう思いついたことを恥ずかしく感じながら）言った。あなたは私の受け持ちの子どもの一人によく似ている。というか、あなたまるで子どもじゃない。名前はビリー・プラトゥーン。本当の名前はプラトンっていうんだけど、自分ではそう名乗っているの。ヴェトナムに行けるように、そこで殺されるようにってね。彼の義理のお兄さんと同じように。夢を見ている子どもなのよ。

アレクサンドラ、君はしゃべりすぎる。もう黙りなよ。政治論議はおしまいだ。

アレクサンドラは残りをしゃべってしまう。ビリーはいつも棒を持ち歩いている。棒の先には釘をぎっしりと詰めたボールがついている。まるで中世の武器みたいにね。それはサフォーク・ストリートから出ばってきた敵が彼に「ＣＩＡしかけた」ときのためのものなの。そういう言葉がはやりなのよ。

そういうのって聞いたことなかったな。それに僕は嫉妬深いんだ。また僕はサフォーク・ストリートから出ばってきた敵でもある。

よしてよ、とアレクサンドラは言う。それから彼女は部屋の反対側にある母親のベッドルームのたんすの鏡の中に、自分の裸体の小さな姿を見る。彼女は言う。いやだ！

よしよし、とデニスは愛しげに言う。彼女が今見たと彼が考えている部分を撫でながら。それは乳房とおなかのあいだに二本ばかりある、数インチのさざなみのようなしわだった。こいつは自然なものだよ、アレクサンドラ。男性は女性ほど変化はしない。すべての動物の中で人間の女性だけが、年とるとエストロゲンを失っていくんだ。

へえ、それが原因なの？　と彼女は言った。

それから半時間ほどは話すべきことはなかった。

でもどうしてあなたはそんなことを知っているわけ？　と彼女は質問した。デニス、あなたはそういうことを何のために知っているのかしら？

どうしてかって——僕のアートのためさ、と彼は言った。その若さにもかかわらず、彼は愛を中断して一息ついた。アーティストが歌を歌うために往々にしてそうするように。彼は歌った。

キャンプするんだ

森の中で、ひなげし

絞首台の下、

ペンタクルのエースと

僕と

ひなげしの花と

一緒に

地球のエコロジーのことも
考えなくちゃ
君は速く運転しすぎる
デイジー、君は一人で運転しているね
ねえデイジー、イグニションを切りなよ
オイルを石の中に
戻そうじゃないか

そういうの、私好きだわ。素敵じゃない！　アレクサンドラは言った。しかしエコロジーって、はたして詩にふさわしい言葉かしら？　それはいささかテクニカルに過ぎるんじゃ……

詩にふさわしくない言葉なんてない。それに今ではエコロジーというのはとても大事な言葉になっている、とデニスは言った。大事なのは言葉をどう扱うかだ。言語と理念、それらが一緒になって機能するんだ。

あら、そうなの？　あなたはそういう理念をどこで仕入れてくるのかしら？

自分がものを食べたいのか、眠りたいのか、それもわからない、と彼は言った。僕はたぶん君のおっぱいに顔を押しつけたいんだと思う。話、話、話。理念をどこで仕入れるのか？　そうだなあ、僕は大半のことは雑誌から学んでいるんだよ。「サイエンティフィック・アメリカン」

朝食のあいだも、言葉は彼の頭に残っている。そのために、彼は無口になっていた。パンケーキのあとで彼は言った。ねえアレクサンドラ、僕は自分の使いたい言葉をなんでも使うことができるんだ。今までずっとそうやってきた。そして先週、僕はそのことを今と同じような会話の中で証明したよ。僕は青い目をした連中にこう言った、辞書を僕に渡してくれって。僕はぱらぱらとページをめくって、そこにある単語を適当に指で指定した。僕がたまたま選んだのは「ophidious（蛇的な）」という言葉だった。でも僕はそれでちゃんと詩を作ったよ。言葉というのはね、人に代わって夢を見てくれるのさ。それが言葉だ。

『オールド・スモーキーの頂上で』のメロディーとおぼしきものに合わせて、彼は歌った。

蛇的な庭は
フロイトによって創られた。
そこでは三人のレディーが殺した
ああ、殺した三人のレディー

鳥たちの一撃
コブラは埋葬され、
がらがら蛇は身をよじらせる
黒い蛇たちの庭で
青い蛇たちの庭で
僕の妻たちの髪の中で

もっとコーヒーをもらえますか、と彼は言う。プライドと謙虚さをにじませて。それって、ほかのあなたのたいていの詩よりは出来がいいわ、とアレクサンドラは言った。それは詩よね。いいじゃない。

何だって？　何？　こんなの良かないよ。ぜんぜん。冗談じゃない。それはね……それは……まったくなんというか……ああ、いけない、もっとクールにならなくちゃなあ。あらあら、ごめんなさい、とアレクサンドラは下手《したで》に出て言った。私が言いたかったのは、それが気に入ったっていうことなのよ。ただね、一人暮らしがずいぶん長かったから、口のきき方がフランクになっているだけ、だと思う。でもね、どうしてあなたはいつも妻たちのことを考えているの？　妻たち、母親たち。なぜならそれが僕という人間だからさ、とピースフルなデニスは言う。そのことに気がつかなかった？　それが僕の持ち味なんだ。僕はマザファッカー。

うん、なるほどね、と彼女は言う。でも私は母親じゃないわよ、デニス。

君は母親だよ、アレクサンドラ、僕は君のことはだいたい読めてきたよ。僕にはわかっている。たしかに僕はときどき週末の種馬みたいに振る舞う。でも僕は君のために歌をひとつ書いた。タクシーの中で、昨日の夜にね。僕は君のことを考えている。こいつはザ・レパーズの気に入る歌じゃないな。連中は人生というものについて、あんまりわかっちゃいないんだ。連中は新しい花に入りこもうとしているまだ新米の蜂みたいなものさ。でもどっかのオールドタイマーが録音してくれるだろう。二年ばかり芽が出なくて腐っているようなやつが、ひとつ新しいものでもやろうかってことでね。そういう連中の気に入るんじゃないかな。

ああ、

僕は君について知っていることがある、ベイビー。

哀しいことだけれど、

腹は立てないで

ベイビー

君は子どもたちをその
　美しい
　胸に抱くことはないだろう
　　僕の愛しい人
でもいいかい
　君の行くところどこだって、子どもたちはついていく
　次から次へ
　　いくらでも次々に
　君の人生の子どもたちが現われる
　結婚生活から生まれた子どもじゃない子どもたちが。

こっちは本当に聖書からだぜ、と彼は言った。

ねえお父さん、とアレクサンドラは言った。ねえ、この世の女性たるもの、少なくとも一人くらいは子どもを産むべきだと思わない？　お前はコミュニストのグラノフスキーと結婚したときにそうするべきだったんだ。私たちは意見が合わなかった。あの男にはユーモ

アのセンスというものが欠けていた。たぶんあいつは今の今も、キューバ人たちを退屈死にさせていることだろう。でもそれを別にすれば、知性のある男だった。私にはきっと聡明なる孫たちができていたことだろう。子どもたちが親と同じ政治信念を持つとは限らんしな。

それからアレクサンドラを見た。彼女の年齢を、彼女の可能性を。彼はソフトになった。お前はなかなかの器量好しだ。その気になれば、まだまだ結婚できるさ。それから彼はもっとソフトになった。つい最近読んだばかりの、男性対女性の人口比率についての絶望的な統計のことを考えたのだ。べつにかまわんじゃないか！　だからどうだっていうんだ！　そんなのたいした問題じゃないよ、アレクサンドラ。『律法《トーラー》の書』によれば、増殖するべく神に命じられたのは男だけなんだ。べつにお前が命じられたわけじゃない。お前に子どもがいようがいまいが、そんなこと神様は気にもなさらない。子どもがいなければ、メイドを呼びつければいいんだ。そして亭主に言えばいい。ねえあなた、私のメイドを使って子どもを作ってちょうだいなってさ。ああそうか、お前の亭主はじっさいにメイドと二年間できちゃってたわけか。でもまあ、いいじゃないか。今でもそれはまっとうな行ないになっているんだから。おかげでお前は、あのワンセットをくぐり抜ける必要もないというわけだ。九カ月、つわり、おそらくは帝王切開、急ぐな急ぐな、主の御子《みこ》よ、神を讃えよ。

ねえお父さん、とその数週間後にアレクサンドラは言った。でももし、私に実際に子どもができちゃったらどうするのよ？
馬鹿なことを言うんじゃない、と彼は言った。それから彼女に険のある医学的視線を長々と投げかけた。その視野には彼女の身体ぜんたいが入っていた。彼は言った、なんでそんなことを訊くんだい？　彼の顔は真っ赤になった。それは前代未聞のことだった。彼は右手で自分の胸をぎゅっとつかんだ。左手には病院の救急ブザーが握られていた。なにはともあれ看護婦を呼んでくれ！　今すぐにだ！　それから彼はアレクサンドラに向かって命令した。結婚するんだ！

デニスは言った。まったくどうしてこんな面倒なことになっちゃったのかなあ。そいつはまともなことじゃないよ。でもまあ、君とは習慣もカルチャーも異なっているから、僕もひとつ妥協をしよう。僕が提案したいのは、こういうことなんだよ、アレクサンドラ。僕らのコミューンにいる三人の子どもたちは、僕らみんなのものなんだ。誰が父親かなんて、誰にもわからない。これは素敵だよ。僕は断言する——神様のちんぽこにかけて、こいつはビューティフルなことなんだ。子どもたちのうちの一人はあるいは僕の子どもかもしれない。でも彼女にはこれという目立ったしるしはない。君もそこに来て、僕らと一緒に暮らすといい。僕らはみんなでその子を、この世界に生を享けたまっとうな人間として、ひとりの血の通った人間として、立派に育て上げるんだ。僕らは、実際にぶちまけた話、いくぶん年齢の高い人の存在を必要としている。なんというか、歴史感覚をそなえた人をね。僕らにはそいつが欠けているから。

ありがとう、とアレクサンドラは答えた。でも答えはノー。

彼女の父親は言った、私にそれを説明してくれんかね。いったい全体どうしてお前はそういう馬鹿な真似をしでかしたんだ？　愛のため？　その年になってかい？　金のため？　どっかのごろつきがお前の耳に甘い言葉でもささやいたんだな。きっとそいつのために晩飯でも作ってやったんだろう。どっかの腹を減らせた役立たずが、二、三度の食事を食べさせてもらいたかっただけさ。まあいいや、この阿呆のおばはんはいいカモだ。晩飯にはポットローストを出してくれるだろう。朝飯にはベーコンエッグを出してくれるだろうってな。

ちがうのよ、パパ、そうじゃない、とアレクサンドラは言った。お願い、興奮すると身体によくないから。

隣のベッドで丈夫な心臓を抱えたまま死にかけているジョンが、短いメモを書いてよこす。先生、あんたはクレイジーだ。人を敵にまわしたまま死んじゃいけない。この娘はなかなか立派な子だよ。火曜日だって、木曜日だって、土曜日だって、ちゃんとここに見舞いにきているじゃないか。俺の子どもたちが一人でも見舞いにきたところを、あんた見たことあるか？　それからもうひとつ。俺はますます具合悪くなってきている。それでも死ぬ用意なんて、まだまだできてないぞ。

もうひとつ、お前に言いたいことがあるんだ、と父親は言った。お前は私の最後の日々を苦々しいものにしているし、私の人生を汚している。

そのあと、アレクサンドラは毎日のように父親の死を願った。今死ねば、父親の興味深い人生を最後の段階で汚すことなしに（最後に受ける汚れは、きっと過去にまで遡及していくはずだ）、子どもを持つことができるのだ。

最後にデニスは言った。じゃあ、少なくとも、僕とベッドを共有させてくれないか。それは君自身のためにもなるだろう。

ノー、とアレクサンドラは言った。お願いよ、デニス。朝早く仕事に出ていかなくてはいけないの。私は眠いの。

わかった。そうか、僕は君にとってはただのジョークみたいなものだったんだね。君は結局僕のことをあからさまに利用していたんだ。それはクールじゃない。まともなことは言えないな。

やめてよ、とアレクサンドラは言った。お願いだから、黙ってて。だいいちあなたにどうしてわかるのよ。自分が父親だってことが。

おいおい、と彼は言う、じゃあいったいほかの誰が父親なんだ？

アレクサンドラは微笑んだ。それから、かすかに血が滲んできて、その痛みのほどをつつましく相手に知らせるまで、固く唇を嚙みしめた。彼女は自分の仕事をこのまま続けることを考えていた。誇りを持ち、生産的な時間を一分たりとも失わないようにすることを。彼女はこれまで扱ってきた福祉のケースの、一人一人について思い浮かべた。

ねえデニス、と彼女は言った、これからどうすればいいのか、私にはちゃんとわかっているの。

ということであれば、しょうがないね。僕は出ていくさ。

アレクサンドラは自分の人生に起こったことを、有効に利用しようと決心した。彼女は相談に訪れていた十五歳から十六歳の、妊娠中の三人の女の子を、自分のところに来て一緒に暮らさないかと誘った。彼女はそのような女の子たちを一人一人訪ね、自分も同じように妊娠していると打ち明けた。そして自分の住んでいるアパートメントはとても広いのだと。娘たちはそれまでアレクサンドラのことを好きじゃなかったのだけれど（というのは彼女はいつも、自分たちよりは男の子たちのことを気にかけていたから）、結局一週間もたたないうちに、不機嫌な両親のもとを飛び出て、彼女のアパートメントに移ってきた。最初の日の夕食のときから、彼女たちはアレクサンドラに向かって、男というものについての有益な忠告を与え始めた。何年かあとに、彼女はそれらの忠告をありがたく思うことになった。彼女は少女たちの身体と自分自身の身体を健康に保ち、また同時に多くのメモをとった。彼女は社会福祉事業《ソーシャル・ワーク》におけるひとつの前例を打ち立てたわけだが、それは以後およそ五年のあいだ、州の刊行物に報道されることもなく、言及されることすらなかった。

アレクサンドラの父親の人生は汚されずにすみ、命を失うことも免れた。赤ん坊の産まれる少し前に、彼は風呂場で転倒して、床のタイルで頭を強く打ち、頭蓋骨にひびが入った。脳味噌の電線が心臓の血液にどっぷりと浸かってしまった。ショートしちゃったわけだ！　彼は二十年か三十年をその洪水の中で失ってしまった。甥たちの顔、義理の親戚たちの顔、二人の大統領の名前、そしてひとつの戦争を。彼の目は前より丸くなり、しばしば茫然自失の状態になったが、それでも前と変わることなく頭は素早く回転したし、何かを頭にとめたり理解したりするときにかえってためらわずにすむようになった。

赤ん坊は無事に誕生して、父親の名前をとってデニスと名付けられた。もちろん子どもの名字はアレクサンドラの夫からもらったグラノフスキーである。コミュニストのグラノフスキー。

ザ・レパーズ――そのときには「ジ・エディブル・アマニタ（食用きのこ）」という名前に変わっていた――は、彼の小さな栄誉をたたえて、こんな歌を録音した。タイトルは『誰？　僕さ』という。

歌詞は簡単。こういうものだ。

誰が父親？

誰が父親
誰が父親　　僕さ！　僕さ！　僕さ！

僕が父親
僕が父親
僕が父親

デニス自身が「僕さ！　僕さ！　僕さ！」というところでソロをとった。かすれて、怒りに満ちた、預言者的な声で。彼は勇敢にもその歌詞が自分の作であることを認めた。彼のコミューンで三十八時間に及ぶマラソン論議がおこなわれ、その結果彼はそこを出ていくことを求められた。翌日の午後、彼はおおよそ四ブロック離れたところにあるブラウンストーン造りの悪くないアパートメントに移った。そこでも時に応じて父親としての務めを求められた。

赤ん坊の三歳の誕生日に、デニスとザ・フェア・フィールズ・オブ・コーンは一枚のフォークロックのアルバムを作り上げた。それが今はやりのエキサイティングなサウンドなのだ。タイトルは『僕らの息子に』といった。耳のいいリスナーはピッコロによる連音が、ヴァースひとつにつきおおよそ四十回演奏されているのを聞き取ることができるはずだ。それは長くて暗いドラムロールや、当たり前のバンジョーの和音や、フィドルの奏でる一見して『ララバイ・アンド・グッドナイト』にどこか似ているが、よく聞くと異なるメロディーにふらふらと入りこみ、またそこから抜け出してくる。

私に会いに来てくれるかい、ジャック
　私が年とって、よぼよぼになっていても。
もちろんさ。だってあなたは僕の父さんだし
あなたは最後のつれあいを失くしたんだもの。
　山の彼方に、ろくでもない場所に
あなたは遥か遠くへ行ってしまったけれど
　ファミリー・カーを勝手に持っていっちゃったけれど
それでも父さん、僕はあなたを見捨てないよ。

私に会いに来てくれるかい、ジャック？
　まったくのひとりってわけでもないけどな。
それでも私は息子に会いたいんだ
なぜなら私たちは、身内を恋しく思うものなんだ。

もちろんさ。だってあなたは僕の父さんなんだ。
あなたは僕や弟たちを見捨てたけれど
よその子どもたちの母親のお尻ばかり
あなたは追いまわしていたけれど。

私に会いに来てくれるかい、ジャック？
私の人生の盛りは過ぎ去ってしまった。
年をとるのは、生半可なことじゃない。
もちろんさ。だってあなたは僕の父さんなんだ。
つらい生活をくぐりぬけてくるあいだ
びた一文もらったことないけれど、それでも
僕はあなたに会いに行く。そして二人で
抱き合って、キー・ウェストの空模様が
どんなだか見てみようじゃない、
養老院のテレビの画面でさ。

この歌は全国で歌われた。昼なお暗いメインの森から、まぶしく輝くテキサスの湾岸まで、いたるところで親しまれた。統計によれば、この歌のおかげで老人ホームを訪れ

る人々——いかにも心配そうな中年の人々や、ぽかんとした顔の若い人々——の数が増えたということである。

Politics

政治

うちの近所に住む母親のグループが、財政監査委員会の公聴会にでかけて、みんなで歌を歌った。彼女たちはいくつかの事実と調べをそこに提出したわけだ。でもこのような政治的行動をとろうというアイデアは、ひとりのメディア関係者のすぐれた頭脳から生まれた。ニューヨークの住居不足の故に、彼はこのロウワー・ウェストサイド文化の引き潮に乗ってはるばる流されてきたのである。もともとが遥か中西部の平原地帯の出身である彼は、名にし負う私たちの部族的組織性にすっかり心惹かれてしまった。これからはこれだよ、と彼は言った。ああ、彼は私たちのこの古びてかび臭い坩堝《るつぼ》たるニューヨークに惚れこんだのだ。

彼はまたクリーンカットで魅力的な男性だった。係員に名前を最初に呼ばれた母親が、臆することなくすくっと立ち上がったのには、そういう理由もある。彼女は微笑みを顔に浮かべ、「ちょっとすみません」と言いながら、まわりの人々の膝のあいだを通り抜け、胸を張って公聴会の会場の通路を、前に歩いていった。それから彼女は歌った。そのどこかもの悲しいメロディーは、台所で母親から教わったものだった。その哀歌にのせて、彼女は子どもたちのための遊び場を改良してほしいという要望を、かくのごとく歌った。

ああ、ああ、ああ
誰かそこに高い塀を作ってはくれませんか、
子どもたちの遊び場のまわりに。
子どもたちは元気に遊びまわっているけれど、
そんな時代も後たった一年で終わってしまいます。市が何か手を打ってくれないと、
あるいは父親たちが浮浪者や
酔っぱらいたちを締め出してくれなければ。
どこかのおじさんがいやらしいおちんちんを出して振ったり、
膝を撫でて「お嬢ちゃんお嬢ちゃん」と声をかけたりするのです。
枢機卿《カーディナル》が変態たちを追い払ってはくれないでしょうか……

彼女は一礼し、しずしずと後ろに下がって、叙唱《レチタティーヴォ》に道を譲った。公聴会場のいた

るところで女性たちが一斉に立ち上がり、叙唱に加わった。彼女たちは見事なステートメントをコーラスで語った。

微笑みを浮かべたジャンキーたちは、
政府機関の賢明なる改革によって、阻止しうるのです。

それから彼女はもう一度前に進み出た。役所の偉い人たちに向かい合い、恥ずかしさをこらえながら、彼女は続きを歌った。

……お願いです、市長さん。
パンツをはいていない女の子だっているのです。まだほんの赤ん坊です。
うそじゃありません。共産主義者《コミー》たちが門をくぐってやってきて、
砂場にうんこをするんですよ。

彼女は我らがシティーホールのオフ・ホワイトの天井に向かって両手を上げ、大声で叫ぶ。

彼らをブルックリン行きの貨物列車に詰めこんでください。

塀を作ってください。

私たちは母親です。

ああ、子どもたちはいったいどうなるのでしょう……

その財政監査委員会にいたなかで、感銘を受けなかった者は、市長をも含めて、一人もいなかった。五人目の歌い手の反復のあとで、すべての役人がそう言った。彼らが「ああ」とか「おお」とかつぶやく声が、まるでびっくりしたアルペジオの循環みたいに、三分間くらい延々と続いていた。会計検査官（稀代のしぶちんとして知られている男だ）は言った、「わかりました。わかりました。このケースに関しては、わかりました。高いフェンスでさっそく囲むことにしましょう。いや、急いでやりましょう。もちろんもちろん……」。その場ですぐに彼は電話を取り上げ、公園課と交通局と児童福祉課を呼び出した。彼のきっぱりとしてもの静かな声の前では、誰一人として異議を唱えるものはいなかった。翌日の午後には、もう塀がそこに立っていた。

その日の夜、空に月が出て一時間ばかりしてから、「戦略パトロール隊」に属する一人の若い警官が、フェンスにかなり大きな穴をちょきちょきと開けてしまった。それにはふたつの理由があった。ひとつは公的なものだった。若い司祭たちによって作られた

「ビッグ・ブラザーズ」という野球チームはどうしても練習をしなくてはならなかったし、彼らはいつも夜中にそれをやったのだ。彼らは出入口を必要としていた。彼のもう一つの理由は私的なものだった。ロッカールームに十一本のバットがしまわれたままになっていたのだ。これらは、彼のささやかなるグループにとって、なぜかは知らないが秘儀に欠くことのできぬものであった。実を言うと彼は既にその腕の中に、それらの品物をしっかりと抱えていた。小さな柳の枝でも抱えるみたいに軽々と。そしてそれを、停めてあった警察ワゴン車の中に積み込んでいるところだった。六個のキャッチャーミットをさらに取りに帰ったところで、「ロウワー・ウェストサイド・サン」という新聞で記者をしている一人の若い女性が、ロッカールームをうろうろしている彼の姿を目に留めた。

彼女は質問した。「何だろうと思ったら、すぐに質問しよう」という方針のもとに訓練を受けていたからだ。それで何をしているんですか、と彼女は訊ねた。男は答えた。「腹黒い政治家たちによって、警察組織はその力を奪い取られ、市民から受けてしかるべき敬意も失っている。だから警察はできうるかぎり、自衛するしかない」。彼は身分を証明する目的で、カミュの『反抗的人間』を内ポケットから出して彼女に見せた。彼の瞳はマイルドなグレーで、まつげは短く、つるりとしたハンサムな顔立ちだった。手にはめた白いリネンの手袋にはほとんど染みひとつなかった。それゆえに彼は、分署の警官たちによる逮捕を、散らかったバスケットボールのあいだで待っているときに、彼女に二人の息子を押しつけることができたのだ。一人はアイルランド系で、もう一人はイタリア系だった。彼らはその訛りのある声で彼女のために歌を歌ってくれた。彼女の生涯を通じて。

Northeast Playground

ノースイースト・プレイグラウンド

午後に遊び場《プレイグラウンド》に行ったとき、私は生活保護を受けている十一人の未婚の母に会った。そのうちの四人だけが娼婦だった。残りの女性は主義として結婚していないか、あるいはろくでもない男に捨てられたかだった。

子どもたちは一歳に達していない赤ん坊ばかりだった。みんな可愛かったし、見ているだけでおかしかった。

母親たちが彼らを一緒に砂場に入れると、彼らはそのちっぽけな砂漠を全部占領して、砂をかけあってきゃあきゃあとわめいていた。自分を認知して養おうとする父親を家に持つ子どもは、そこに入りこむことさえできないだろう。

どうしてあなたたちここに集まっているのかしら、と私は尋ねてみた。

たまたまこうなっちゃったのよ、と一人が言った。

最初に二人が出会ったのよ、ともう一人が言った。それで気が合っちゃって、それぞれの友だちを紹介していったってわけ。

私たちって、いわば特殊権益団体なのよ、と三人めの女性が言った。彼女の名はジャニス。政治的な女性で、権力構造や権力そのものに対する意識が高かった。

四人めが、十一個の紙コップ入りの、チョコレートとヴァニラのアイスクリームを持ってやってきた。彼女はそれをみんなに回した。このグループに漂う静かな調和性は、それは素晴らしいものだった。うちの子どもたちがまだ赤ん坊で、この遊び場に来ていた頃、私たちはこんなにまとまっていなかったし、よく喧嘩もした。他の赤ん坊の非健康的な攻撃性や過度の臆病さを非難して。怒りっぽくてすぐに泣きわめく二歳児のことを、あの子は救いようのない神経症よと言ったりもした。あれじゃどうしようもないわよ。あのしょぼしょぼした瞼。小さな皮かむりのおちんちんを握りしめているところをごらんなさいよ。

もし男前が見たければ、なんていったってそれはクロードよ、とジャニスは言う、レニの赤ん坊。これはもう可愛いんだから！　でもジャニスの赤ん坊だって申し分なく素敵な赤ん坊だ。彼女は胸の前に赤ん坊を吊るしている。赤ん坊は母親の庇護の温かみの中で眠っている。

クロードはたしかに男前だ！　彼はレニの膝の上でぴょんぴょんと跳ねている。肌の色はダーク・ブラウンである。母親の肌は真っ白なのだけれど。

男前ねえ、と私は言う。

レニってすごく変わっているの、とジャニスが言った。彼女はブライトン・ビーチで街娼をしているのよ。あの年で、あの体重で、あの信心ぶりでね。

この子は私が産んだんじゃないの、とレニは言った。ある男にお金を貸してたんだけど、そいつは返せるあてがない。それで自分の最初の子どもを私にくれたってわけ。これで母子家庭扶助をもらいな、てなもんよ。それで今や私はお母さん熊みたいに家に閉じこもって、テレビを見ながらごろごろ暮らしてるわけ。もう週に一人も客を取ってないのよ。私のクロードが私の時間をそっくり取っちゃうの。そうよねえ、パンケーキちゃん。アイスクリーム食べなさい、坊や。お日さまが溶かしちゃうわよ。

六人めと七人めの未婚の母は、双子の姉妹だった。二人ともいつも同じような服を着ていた。

八人めと九人めは麻薬中毒の娼婦だった。どちらかが客を取ったり、ハイになったりしているあいだ、もう一人が両方の赤ん坊の世話をした。どちらもすごく美人で、レズビアンの男役みたいな感じがした。どちらにも他に四歳と五歳の子どもがいて、その子たちはチャイルド・ケア・センターに入れられていた。二人のまだ赤ん坊の娘たちはリボンをつけて白いボイル地の服に包まれ、上等の化粧張りとクロームで作られた外国製のうばぐるまに乗せられていた。彼女たちは赤ん坊を砂場で遊ばせなかった。赤ん坊が汚くなったり濡れたりするのに耐えられなかったし、そんなことになったら物凄く叱りつけた。主義として結婚しない娘たちは(ジャニスと双子もその中に入っているのだが)そういうのはやり過ぎだと思っていた。でも事情が事情だから、まだその程度ならマシなほうだろうと考えていた。

十人めと十一人めは暗い顔をしていた。彼女たちは男に捨てられたのだ。そのせいで、手放しで赤ん坊を可愛がるということができなかった。しかしそれでも我が子を胸に抱きしめたし、砂場から赤ん坊の泣き声が上がると、叫びながらとんでいった。どうしたの、どうしたの? 誰、誰よ? 誰があなたのシャベルを取っちゃったの? クロードなの? ねえレニ! クロードったら!

それでこそ男の子よね、とレニは言う。

その二人は好んで生活保護を受けているのではない。生活保護なんてみっともないことだと思っている。それを恥ずかしいこととは思っていない友だちを見下したりするところまではいかないけれど、でも折にふれて彼女たちは皮肉っぽいものの言い方をする。彼女たちは若くて、すごく可愛い。昨今の若い女の子たちはたいていそうなのだが。おそらくもう二度と男に逃げられたりしないだろう。私はそのことを彼女たちに伝えようとする。二人は答える。御親切さま! 二人が口にする皮肉っぽいもの言いというのは、このようなものだった。私のお母さんは言うのよ、あなた落ちこむことないじゃない、アリソンは愛の子ども、ラブ・チャイルド(私生児)なのよって。うちのお母さんはそういうのを受け入れてくれるし、ススんでるの。でも、お金はない。

私がそこを訪れた午後、私はひとつかふたつ簡単な質問をした。そして意見をひとつ述べた。

私は尋ねた。あなたたち、他のお母さんたちや赤ん坊たちのグループと混じりあったほうがいいと思わない？　みんなすごくフレンドリーだし。

ノー、と彼女たちは答えた。

私は尋ねた。あなたたち、このような孤立化、ゲットー化が子どもたちにどのような影響を及ぼすと考えている？

彼女たちは誇り高く微笑んだ。

それから私は意見を述べた。ある意味では、私の子どもたちが小さかった頃もちょうどこれと似たようなものだったわ。「アイ・ライク・アイク」というバッジをつけたご婦人方は砂場の南側に座って、あとの私たちは民主党に登録している修正主義コミュニストで、修正主義トロツキストで、修正主義シオニストで、こっちのほうは砂場の北側に座っていたわよ。

私のこの発言に対して、彼女たちの多くは、ふうん、ほんとにぃ！　と応じた。とっとと消えちゃいな、とジャニスが言った。

The Little Girl

リトル・ガール

早いうちにカーターがカフェにやってきた。俺はワックスがけを終えたところだった。やつは言った、連れができると思うんだけどさ、あんたの部屋をちょいと貸してくれねえかな、チャーリー。

俺は言った、ドアは開いてるから好きに使えばいいさ。集金人がメーターを調べにくるけどな（だから鍵をかけないでおいたんだ）。同居しているアンジーがひょっとしてごろごろしてるかもしれないけどな、どうせあいつ年じゅうラリってるんだ、と俺は言った。隣の部屋で誰かがサックスの練習していても気がつかないくらいだよ。だからさ、カーター、何時間でも好きに使っていればいいさ。酒とかそういうのは置いてないけどな。酒なんかよりもっとご機嫌になれるものを持ってるさ、とやつは言った。いやいや、こいつは冗談。ありがとよ、ブラザー、とやつは言った。俺は言った、これまで一応みんなためしてみたけどさ、今もやっぱりウィスキーがいちばんだぜ。ウィスキーを飲んでもただ酔っぱらうだけだけど、ドラッグなんかやったら頭をやられちまうものな。そうだな、まったくそのとおりだ、とやつは言った。でもやつの目玉はふらふらとどっかに行っちまった。

やつはまっすぐ公園に行った。公園はまだ毛もはえ揃ってないようなひよっこでいっぱいだ。まだみんなほんとうの赤ん坊なんだ。おうちを遠く離れてさ、そしてあんた信じられないかもしれないけどね、その子たちは、一物をつきだして昼飯前にまわりをうろつく腹を減らせたでかい黒猫《ブラックキャット》たちのことが大好きときてるんだな。天国まであれをばっちり飛ばすつもりでいるようなやつらのことをな。まあほんとうにできるのかもしれんけどね。

昨今では、ここらあたりの黒人《スペード》はね、すっかりお手軽にやる味を覚えちまったんだ。俺なんかの若い頃にはね、料理をするとなると、ちゃあんと鍋を火にかけたものだ。そして何度も何度もぐつぐつかきまわした。でも今のやつらはそんなことしやしない。お手軽にうまい汁だけを吸っちまうんだ。

さて、カーターはベンチに座っている。あちこちと目を配る。ズボンはぱんぱんに張っている。頭には妄想が浮かんでいる。そこにその小娘がやってくる。あてもなくうろついているんだ。でかいキャンバスのハンドバッグを持って、きょろきょろしている。カーターは大きな声で呼びかける。よう、こっちに来なよ、とやつは言う。ほら俺の隣にさ、かわいいおねえちゃん。娘はちらっとまわりを見て、それから腰を下ろす。端のほうにちょこんと。

どっから来たんだい、ベイビー？　やつは尋ねる。よう、リラックスしなって。俺、友だちだ。

うん、ありがとう。ええと、中西部よ、と娘は言う。シカゴの近くよ。娘は自分をかっこよくみせたいんだな。ほんとうは八百マイルも遠くから来たわけじゃない。旅行で来ているのかね、おねえさん。あんたみたいなべっぴんさんを、恋人がよく手放したもんだね。

そうじゃなくてさ、と娘は言う。口がちょっと軽くなる。あたしはそこを引き払ってきたのよ。お母さんはあたしの好きにさせてくれないんだもの。学校から帰ってくるとすぐに朝御飯の食器を洗わなくちゃならないし、二人の弟の部屋の片付けをしなくちゃならないの。弟たちはなにひとつしなくていいのにさ。そして平日は毎晩十時までに家に戻って自分の部屋にいなくちゃならないし、週末だって真夜中には戻らなくちゃならない。土曜日で、いよいよこれから盛り上がるっていうときによ。ホントになんにもない町でね、クソつまんないったらないわよ！　寝ぼけたような、たらんとした町よ。それに人種ヘンケンといったら、そりゃあすごいものだった。娘はぽっと頬を赤らめる。そ娘は男の気を悪くしたくないのだ。そいでね、ひどいったらないんだけどさ、通りすがりのニューヨークから来た男にもらったハッパをちょいと持っているところをとっつかまってしまってね、それで一週間というものばっちり自宅謹慎。みんながあたしの一挙一動をじろじろ見張っている始末よ。みんなうんざりするくらいアホで、どうしようもないんだから！

まったくねえ！　とカーターは言う。君ら若い連中がよくいろんなことに我慢できるもんだとつくづく感心しちゃうよな。世の中はどんどん変わってるんだ、こいつは間違いないところだ。でも年とったやつらはそんなことにはちっとも気づいちゃいない。彼は娘の髪をくしゃくしゃかきまわし、ほっぺたを彼女の髪の上にちょっとだけのせてみる。テストしているのだ。そして舌の先を彼女の耳たぶに這わせる。やつは見栄えのいい男なのだ。肌の色も濃すぎず薄すぎず、ちょうどいい感じだ。目の玉に血管がちょいと浮いていることを別にすれば、外見に欠点がない。

俺、あんたみたいな可愛い女の子はこれまで見たことないよな、とやつは言う。ようするに、プッシーをふくらませるという手管だな。これはばっちりと効いたね。娘はすかさずやつの顔を見つめる。ああ、もうずっと歩きまわっていたのよ、疲れちゃったな。そして欠伸《あくび》する。

それなら俺、いい場所を知ってるよ。そこならリラックスしてゆっくり休めるし、これからどうするかゆっくりと考えることもできる。シャワーでも浴びてさ。なんでも好きなことしていいんだ。好きなようにさ。大丈夫さ、べっぴんさん。あんたミス・アメリカより綺麗だ。ところで年はいくつだって言ったっけね？

十八よ、と娘は間髪入れず答える。

それならいいんだ、という顔でやつは娘を見る。でもそれは嘘っぱちだし、カーターも承知の上だ。なんてったってな、俺にとってはそいつが、カーターに関していちばん許せないところだ。だって、どうしてその娘を選ばなくちゃならないんだ？　娘っこなんてその辺に掃いて捨てるほどいるんだ。おとなの男ならやっぱり分別というものを働かせるべきじゃないか。

それからどうなったか。ふたりは俺のアパートに向かったわけだ。ダウンタウンの方に六、七ブロック行ったところにアパートはある。途中でピッツァ屋に寄った。うん、これおいしいわね、と娘は言う（頭がちょっと単純なんだな）。娘は言う、うちの故郷じゃこんなふうな焼き方じゃないのよ。

ふたりは歩いていく。俺は前にもカーターが女の子を引っかけているのを見たことがある。やつはキャンバスのハンドバッグを背中にかけている。たぶんふたりは手なんか握りあって、それを振ったりしていたことだろう。

一四九番地の玄関のドアを開ける。でもはあはあいいながら四階ぶんの階段を上っていくあいだに、娘はきっとがっかりしちゃったにちがいない。俺のアパートがどんなだか知っているだろう、何もないんだ。簡易ベッドがひとつ、テーブルがひとつ、椅子がふたつ、ベッドの上に毛布、枕がひとつ。古くてあぶらじみた枕カバー。俺はもう年とってるからね、こんな白髪まじりのあぶらつけ頭で我慢しなくちゃならんわけだが、でもし若かったら、ここはいっちょうアフロで決めてるところだよな。

娘はがっかりしたはずだよ。

ちょっと待ちな、とやつは言う、そして台所に行って氷水とプリッツェルの箱を持ってくる。ありがとう、と娘は言う。そういうのがちょうどほしかったんだ。それからやつは言う、そこでゆっくり休んでなよ、ダーリン。そして娘は横になる。それが棺桶だとも知らずにな。

一服やるかい、とやつは言う。ピースフルになるもんな、とやつは言う。ええ、そうね、と娘は言う、それってピースフルだもんね。みんなよく知らないんだよね。

やがてふたりは吸い終わる。どっちもいい気持ちになっている。やつは言う、よう、楽しむかい？　うん、もちろんよ！　と娘は言う。やつは娘の服をまくって、パンティーをおろし、あちこちをまさぐったり、ちょっと嚙んだりする。こういうの好きかい、ベイビー、とやつは言う。もち、大好きよ、と娘は言う。故郷《くに》でも一度黒人の男の子がやってくれたけど、すっごくいい気持ちなんだよね。

そこでやつは服を脱ぐ。そろそろ仕事に取りかかろうというわけさ。さあここからがろくでもないところさ。カーターの言葉を借りれば、そしてそれはじっさい事実なんだけどな、そういう娘っこたちはいつもお馴染みのちょいとしたホットドッグを求めているのに、じっさいにそこで目にするのは特大フランクフルトってことになるわけだ。ほら、俺たちだいたいそうだからな。というわけで、カーターは無理にやろうとする。やめられないんだな。娘は叫びはじめる。ああ痛いわ、そんなの死んじゃうわよ、痛い。でもカーターに言わせれば、女のほうがやろうって言いだしたんじゃねえかってことになる。娘は逃げようとする。でもやつはその朝、店に寄ったときからあれがもう石みたいにかちかちに硬くなってたんだ。ここでみすみす逃すわけはないやな。

お前、殴ったのか、と俺はやつに訊いた。よう、カーター、ここだけの話だ。俺だけにはちゃんと話せ。

一発、二発食らわせたかもしれねえな。でもな、女のほうが誘ってきたんだぜ。小さな娘でな、腿のところの肉だって、病気の犬に食わせるほどもついちゃいねえ。俺の脇の下にだってすっぽりと身体が収まったかもしれねえな。俺らの黒んぼの女はそんなこたねえよ、なあチャーリー。自分でちゃんと飯をこさえて、なにしろしっかり食べるもんな。それがまっとうなことさ。

でも俺はそんな与太にはごまかされねえさ。カーターはなかなか頭の回転が早いが、俺は簡単に引き下がらない。俺はやつに質問する。じゃあどうしてお前は、どれでも好きなのを選んでいいって言われたときに、わざわざ白いのを選んだりするんだよ。猫なで声みてえなの出してさ。

冗談じゃねえや！　やつはまるで俺に首をはねられたみたいに大声でわめいた。そんなことあるわけねえぞ！　やつは俺のシャツの前をつかんだ。汚いおんぼろの作業着で、それはやつの手の中でずたずたになってしまった。やつは神妙な顔になった。そうだよな！　まったく違いねえや！　あんな食い物は毒だ、命取りだ！　あんなもの食ったおかげで、俺はムショに送られかけているんだぜ。骨ばっかりの飯をいっちょういただいたばかりにな。こっちはただでさえ痔もちだってのにさ。にっちもさっちもいかないというときになっても、冗談を言いやがる。だから俺は以前はこの男のことがけっこう気に入ってたんだ。普通じゃないんだ。だから俺はカーターと一緒に、夕方の時間を公園で過ごすことにしてたんだ。

落ち着きなって、と俺は言った。

わかってる、とやつは言った。

やつが言うには、ちっちゃな黒んぼの虫っこを娘の身体のなかにばらまいたちょうどそのときに、マンジー・アンジー・エンポリオアがひょっこりと戸口に顔を見せたわけだ。娘は血まみれになった俺のベッドの上で、シーツをかぶって、股のあいだからだらだらと血を流して泣いていた。カーターにそうとう裂かれちまったんだな。だってな、チャーリー、とやつは言った、俺はあんたが一緒に仕事している、半分切り落としたみてえなモノつけてるユダヤ人のやつらとはちがうんだ。アンジーはずっとじろじろと中をのぞきこんでいた。カーターはその体勢から身体を起こし、立ち上がった。やつはじろっとアンジーのほうを見て、ズボンをはいて、それから出ていった。やつは俺に言った、なあ俺はそこにもういられなかったよ、だってな、そのアホな女はしくしく泣いてるしさ、まわりは血だらけだしさ、起き上がって自分の身を守ろうともしねえのさ。まったくうんざりしちまうぜ。そいであんたの友だちの白のろくでもねえ虫けらがさ、台所の流しの下からもそもそ這って出てきたんだ。これからはな、チャーリー、白のジャンキーなんかと一緒に暮らしちゃいけねえぜ。あいつらはまったくのカスだよ。

これからどこに行くんだい、カーター、と俺はやつに訊く。サツのところさ、とやつは言って、肘でダウンタウンの方を示す。どうやら俺のことを探しまわってるらしいからな。

実際にやつは警察に行って、それ以来シャバに出てきたことはない。

ほどなく、その日のうちにやつらは俺のところにやってきた。俺がどこにいるかちゃんとわかっている。署に連れていかれて、こう言われた。今日と明日の夜はどこか別のところで寝ろと。どうしてかというと、俺の部屋は立入禁止になっているからだ。お前きっと見たくないよ、そういうの、チャーリー。お前はシロだ。お前がそのときにどこにいたかは、ちゃんとつかんでるんだ。警部にはわかっていた、俺が無関係だってことがな。そして俺にはことの次第をぜんぜん教えようとはしなかった。どうしてかっていうとだな、やつらはアンジーに逮捕状を出したんだ。それで俺に、やつと話をしてもらいたくなかったんだ。やつの耳になにか吹き込まれたくなかったんだな。

地区の受け持ちのおまわりのヘクターは、なにかを胸のなかにじっとしまっておけるような男じゃない。スペイン系ってのはみんなそうなんだ。なんだってべらべらしゃべっちまう。やつはこう言った。チャーリー、あんた引っ越したほうがいいぜ。あんなとこ二度と見たくないよ。ベッドはぺちゃんこだし、その女の子《リトル・ガール》はエアシャフトの底でおしゃかだ。ごみと割れたガラスの上でな。まだ生きて意識のあるうちに便所の窓から放り出されたんだ。そいつは判明している。地面にぶつかって死んだんだよ。

翌日、もっとひどいことを知らされた。ヘクターは店の外で俺を見つけた。俺の磨き掃除の道具は誰かに持っていかれてしまっていたから、仕事ができなかったんだ。やつは言った、女の子の膝と肋骨のあいだの骨という骨は残らず折られて、砕かれていた。死ぬ前に娘は、鈍器かあるいは拳で無茶苦茶やられていたんだよ。

話はもっとすげえんだ。脚のずっと上のほうがな、その内側が、まるで動物に齧《かじ》られたみたいに、嚙まれて嚙みちぎられていたんだ。そこについてたちっぽけな肉がさ。もうよせよ、ヘクター、黙れ。なにも言うな。

それから五日間というもの、新聞にはずっと毎日その女の子の写真が出ていた。そして五日めに女の子の両親が名乗り出て、ジュニパーという名前だとわかった。十四歳だった。たしかにちょっと突っ張ってたけど、近頃じゃ子どもはみんなそうだ。

それから裁判だ。俺もちょいと証言させられた。ええ、あたしの部屋でした。ええ、カーターに好きに使っていいと言いました。ええ、アンジーはあたしの同居人で、やつはときによっては何日も何日も部屋の中でごろごろしてました。あたしに家賃二カ月ぶんの借りがありました。やつを追い出さなかったのも、それが理由でした。

法廷でカーターは言った。はい、俺は無理に彼女をやりました。でもそれ以外にはなにもやってない、と彼は言った。

アンジーは言った。娘がやったことを見たとき、俺は娘をひっぱたいてやりました。でも俺は肉なんかぜんぜん齧っちゃいません。裁判長さん、俺は獣なんかじゃないです。それはあの黒のヒッピーのほうだ。

誰も口を割らなかった。警察は誰からも自白を引き出すことはできなかった。その娘を、ぐしゃぐしゃの骨を詰めたずだ袋みたいに持ち上げて、五階の窓からひょいと放り捨てちまったのは誰なのかを特定する証拠はとうとう上がらなかった。


でも、あの二人のことを考えると本当になさけない。どうしてよりによってその女の子をやらなくちゃいけなかったんだ。世間知らずの小娘なんてその辺に掃いて捨てるくらいいるというのにな。二人とも、もうちょっとやさしく扱ってやることだってできただろう。カーターだってそういう例はこれまで何度も目にしてきたはずだ。そうすればその娘だって一夏くらいはそこにいたかもしれない。俺たちはちょうど国連みたいなものでね、加盟国がちょいちょい立ち寄っていくのさ。そこの五階の部屋でたぶん、娘も高等教育みたいなのを受けることになっただろう。九月になったら、故郷から両親が探しに出てきて、お仕置きにお尻を叩いただろう。そうなんだ。俺たちは長生きしてきたからね、そういう小娘たちは山ほど見てきた。娘たちは家に帰って、しばらくするとしっかりと大人になる。そしてプールの人種差別に抗議して、スーパーマーケットでピケをはったりするんだ。目を輝かせて、きりっと口を結んで笑ったりするんだ。

でもそれは俺の部屋であり、俺のベッドだった。だから俺は忘れないよ。俺は考えないわけにはいかないんだ。あの子ども……あの子ども……。そして昨日、仕事のあとで横になっているときに、俺はふとこう思った。あれは実は誰もやってないんじゃないかってね。たぶん娘はぼろぼろになりながら、自分でその開いた窓のところまでなんとか這っていったんじゃないだろうか。身体はずたずただし、中身だって無茶苦茶にされてしまったみたいだ。家族のことをはっと思い出して、こんな姿を見られたらと恐怖にかられたにちがいない。自分の人生が、まるでぺちゃんこに潰された魚みたいに惨めなものに思えたんだろうな。それでどうしたか。あらんかぎりの力を振り絞って、なんとか窓をよじのぼり、それからはわかるだろう、向こう側に身を投げたのさ。俺は今ではそう思っている。

それがまさに事実だよ。

A Conversation with My Father

父親との会話

私の父親は八十六歳で、ベッドに横になっている。彼の心臓、言うなれば人体の血液モーターも年齢相応にくたびれていて、もうあまりうまくは働かない。頭のほうにはまだけっこうちゃんと血をめぐらせてはいるけれど、足までは十分に血がまわりきらないようだ。その足はもう彼の体重を支えて家の中を歩きまわらせてくれはしない。いや、そんなメタファーは間違いだ、筋肉の衰えは心臓の老化とは関係ない、と父は言う。こいつはカリウムが不足しているせいなんだ、と。クッションのひとつの上に座り、あとの三つにもたれかかって、父は最後の忠告を垂れ、ひとつの要望を口にする。

「お前にもう一度だけシンプルな短篇小説を書いてもらいたい」と彼は言う。「モーパッサンが、あるいはチェーホフが書いたようなやつだよ。お前も昔はそういうのを書いていたじゃないか。どこにでもいるような普通の人々を登場人物に設定して、それから彼らの身に起こった事件を書くんだ」

私は言う、「ええ、いいわよ。書けると思うけど」。昔そんなものを書いていた覚えなんてまったくないのだが、私は父を喜ばせたいと思う。できるものなら本当にそういう短篇小説を物語ってみたいと思う。父の意味するのが「ひとりの女がいた」というような書き出しで始まって、そのあとにプロットがつづいて、ふたつの点を一本の絶対的な線で結ぶというような小説だとしてもだ。私はそういうタイプの小説をいつも見下していた。それは文学的理由からではない。そういう小説はあらゆる希望を人から取り上げてしまうからだ。人はすべて、現実の人間であれ架空の人間であれ、人生においては決定されていない運命を享受する権利を有しているのだ。

あれこれ考えた末に、二年ほど前から通りのお向かいで起こっていた事件を話にしてみようと思った。私はそれを文章に書いて、父に朗読して聞かせた。「ねえ、お父さん、こういうのはどう？　こういうのがお父さんの求めているものなの？」

現代の話。あるところに女がいた。彼女には息子が一人いた。ふたりはマンハッタンの小さなアパートメントで不足なく暮らしていた。息子は十五歳になるかならないかで麻薬中毒になった。この界隈ではそれほど特異なことではない。息子と密接でありつづけるために、彼女自身も麻薬中毒になった。これは若い人たちの文化の一部だし、自分はそういう中にいるとすごく落ち着くのだ、と彼女は言った。し

ばらくあとで、いろいろと理由があって、息子はそういう何もかもと手を切り、街にも母親にもうんざりして家を出ていった。彼女はひとりぼっちで、希望もなく、哀しみに沈んでいるだけだった。私たちはみんな彼女を訪ねる。

「オーケー、パパ、こういうのよ」と私は言った。「飾りのない、悲惨な話」

「でもそれは私の言っているものとはちがう」と父は言う。「お前は私の言わんとすることをわざと取り違えている。わかるだろう。お前にはわかっている。そこにはもっといろんなことがあるはずだ。お前はそんないろんなこと全部を抜き去ってしまっている。ツルゲーネフならそんなふうには書かない。チェーホフだってそんなふうには書かない。それから他にもお前が名前を聞いたこともないような、お前には思いもよらないような、見事なロシアの作家たちがいる。彼らはごく当たり前の話を書いた。彼らはお前が捨て去って語らないようなことを、きちんと書くと思うよ。私は何も事実に対して異議を唱えているわけでない。私が異議を唱えるのは人々が木の中に座ってわけのわからんことを話して、あらぬ方から声が聞こえてきて……というようなやつだよ」

「その話はなしよ、パパ。でも私は何を書き残したかしら、さっきの話で？」

「たとえばその女の顔つきだよ」

「ああ、とても綺麗な人よ。私はそう思うけど」

「髪の色は？」

「黒。太い三つ編みにしているの。若い娘か、あるいは外国人みたいに」

「彼女の両親はどんな人たちだったんだ？　どういう血筋なんだい？　どうしてそういうふうになってしまったんだろう。そういうのは面白いと思わないか」

「よそからやってきたのよ。専門職。その郡では彼らが最初の離婚した夫婦なのよ。それでどう？　他に何か抜かしたことある？」と私は言う。

「お前にかかっちゃ何でも冗談になっちゃうんだな」と彼は言った。「その男の子の父親はどんな男だったんだ？　お前はどうしてその父親のことに触れなかったんだい？　どういう人物なんだ？　それともその子は父親のない子だったのか？」

「そうよ」と私は言った。「父親のない子なのよ」

「やれやれ、お前の話に出てくる人間は誰も結婚してないじゃないか。みんなベッドに飛び込む前に、市役所に走っていくほどの余裕もないのか？」

「ないのよ」と私は言った。「現実の人生ではそれくらいの余裕はあると思う。でも私の話の中ではないのよ」

「そういう答え方はないぞ」

「ねえパパ、これは単純な話なのよ。好奇心や愛や信頼や興奮で胸をいっぱいにしてニューヨーク・シティーにやってきたとても現代的で聡明な女性と、その息子についての話。彼女がこの世界でどんなにひどい目にあったかという話。結婚しているかいないかなんて、そんなたいした問題じゃないでしょう」

「すごく大事な問題だと思う」と彼は言った。

「はいはい」と私は言った。

「はいはいじゃないんだよ」と彼は言った。「いいかい、お前が綺麗な女だと言うんなら彼女は綺麗なんだろう。でも私にはそれほど聡明だとは思えないな」

「それはそうね」と私は言った。「実際の話、それが小説の直面してる問題なの。人々はみんな初めはすごい人に思える。素晴らしいじゃない、と思う。でも話が進んでいくと、普通の人間になり下がってしまう。ただ良い教育を受けているだけ。またあるときは逆に、見るからに単純素朴な人間だったのが、意外に鋭いところを見せて、こっちはそれに見合うだけの良い結末を思いつくことすらできなくなってしまう」

「そうなると、お前はどうするんだね」彼はかつて二十年ほど医者をやっていた。そしてそのあとの二十年ほどは画家だった。彼は今でもディテイルや技法やテクニックに興味を抱いている。

「そうね、話をしばらく寝かせておくしかないわ。その頑迷な主人公と何らかの合意のようなものに達するまでね」

「真面目に言ってるんだろうな」と彼は訊いた。「もう一度話してごらん」と彼は言った。「私は今晩はたまたま外出の予定がないから、もう一度その物語を聞きたい。お前がどういうふうに話を持っていくのか、ぜひ知りたいんだ」

「いいわよ」と私は言った。「でもそんなに簡単にはできないわよ」。第二稿。

昔、私たちの筋向かいの家に、綺麗で魅力的な女の人が住んでいた。ご近所というわけだ。彼女には息子が一人いた。彼女はその息子を愛していた。生まれたときから彼のことをずっと知っていたからだ（頼りないぽちゃっとした幼年期も、とっくみあいをしたりしがみついたりする七歳から十歳というあたりも、そしてその前後も）。この少年は、思春期の手中に落ちるが早いか、麻薬中毒になった。といっても彼はどうしようもない子どもではなかった。実際には彼はみどころのある子どもだった。理論を信奉し、人を転向させるのもうまかった。そして休みを知らぬ才気をもって、高校の新聞のために説得力を持つ文章を書いていた。彼はより広範な読者を求めて、力のあるコネクションを活用して、ロウワー・マンハッタンの新聞スタンドに「おお、黄金の馬よ！」という定期刊行物を置いてもらうように売りこんだのだ。

息子に罪悪感を抱かせないために（今日のアメリカにおいて、癌と診断された症例の九割は罪悪感が原因なのよ、と彼女は言った）、彼女も同じように麻薬中毒になった。また、悪い習慣を家に持ち込むのは悪いことではない、何故なら家の中なら注意がいきとどくから、というのが彼女の信念でもあった。それからしばらく、彼女の家のキッチンは、自覚的に麻薬を常用する知的ジャンキーのあいだでかなり有名になった。何人かはコールリッジのような芸術家気分になれたし、また何人かはティモシー・リアリーのように科学的、革命的な気分になれた。彼女自身もしばしばハイになりはしたけれど、でも良き母親としての本能もまだ残っていたので、オレンジ・ジュースや蜂蜜やミルクやビタミン剤を切らせないように気を配ってはいた。でも彼女はチリ以外には何も料理を作らなかったし、それを作るのもせいぜい週に一度だった。私たちが近所のよしみで真剣に彼女に話をしたとき、彼女はこう私たちに説明した。私は私なりに若い人たちの文化に加わっているのよ。私にとっては、同世代の人たちと一緒にいるよりは、若い人たちといるほうがずっと誇らしいことなの。

ある週に、アントニオーニの映画を見ながらずっとラリっていたときに、この少年は隣の席に座っていた一人の娘に、肘でぐいと突かれた。彼女はこちこちの健康食信者で、これは体の糖度にいいからと言って、だしぬけにアプリコットとナッツを彼に差し出した。そして厳しい口調で注意を与え、あとで彼を家に連れて帰った。娘は彼についても、彼のやっている仕事についても聞いて知っていた。そして彼女自身も出版と編集の仕事をやっていた。「人はパンのみにて生きる」という彼の雑誌とはいわば競争相手にあたる雑誌に文章を書いていた。彼女の絶え間のない存在のもたらす有機的な熱のおかげで、彼はいやがおうでも再び自分の筋肉や動脈や神経系に関心を持つようになってきた。それどころか、彼はそれを愛し、慈しみ、「人はパンのみにて生きる」におかしな短い歌を載せることによって賞賛した。

私の肉体の指は
私の超越した魂を超越する
私の肩の固さは消え
私の歯は私という存在を完全にしてくれた。

おのれの頭（かの意志と決断力の華）の口に対して、彼は固い林檎やナッツや小麦胚芽や大豆油を供した。彼は古い友人たちに向かってこう言った、これからはまともにものを考えようと思うんだ。麻薬もやめようと思う。自然な空気を深く吸いこむスピリチュアルな旅に出発するつもりだ、と彼は言った。お母さんはどうする、と彼は親切に尋ねた。

彼の転向は実に燦然《さんぜん》として見事だったから、近所の同じ年頃の子どもたちはあいつなんか全然本物のヤク中じゃなかったのさと言った。ただ物を書くためのネタが欲しくてちょっとかじっただけなんだ。母親は何度も薬と手を切ろうと努めた。今では息子も息子の友人たちもまわりから消えてしまって、それは彼女一人の孤独な習慣と化してしまっていた。でも彼女がそれだけ努力しても、なんとか生活を維持できるという程度にしか自らを保てなかった。少年と娘は電動式謄写版とともに、こんもりと葉の繁った、別の区の端の方に移っていった。彼らはすごく厳格だった。

もし六十日間すっぱり薬と手が切れないようならもうあなたと会うことはできない、と二人は彼女に言った。

　夜になると母はひとりぼっちで啜り泣きながら、七部の「おお、黄金の馬よ！」を何度も何度も繰り返して読んだ。それらはこれまでにもまして、彼女には真実にみちているように思えた。私たちはよく筋向かいに行って、彼女の部屋を訪れ、慰めた。でも私たちが大学に行ったり、入院したり、あるいはドロップ・アウトして家でごろごろしている子どもの話をすると、彼女は声を上げて泣いたものだった。私の赤ん坊、私の赤ん坊！　そしてすさまじい、顔が醜く歪まんばかりの激しい号泣に、いつまでもいつまでもむせんでいた。おしまい。


　最初父は黙っていた。それからこう言った、「まず第一に、お前にはなかなか立派なユーモアのセンスがある。第二に、お前には単純な話というのが書けないらしい。だからもう無駄なことに時間を消耗しなくてもいいよ」。そして哀しげに続けた。「第三に、どうやら彼女は孤独の身になってしまったようだ。彼女はその子に去られてしまったわけだね。ひとりぼっちで、おそらくは病んでいるだろう」

「そうよ」と私は言った。

「気の毒な女だ。可哀そうな娘。こんな愚か者の時代に生まれて、愚か者どもの中で生きるなんてな。おしまい。おしまい。そのひとことを入れたのはまったく正しい。おしまい、そのとおりだ」

私は口論はしたくなかった。でも私はこう言わないわけにはいかなかった。「ねえ、何もそれで終わりということにはならないのよ、パパ」

「終わりさ」と彼は言った。「なんていう悲劇だ。ひとりの人間の終わり」

「ちがうのよ、パパ」と私は懇願するように言った。「そこで終わらなくたっていいのよ。彼女はまだ四十そこそこなのよ。時がたてば、彼女はどんどん変わっていって、まったく別の人間になることもできるのよ。先生かあるいはソーシャル・ワーカーにでも。なにしろもとジャンキーだもの！　そういう人間のほうが教育学の修士号を持っている人なんかより役に立つこともあるんだから」

「またジョークだ」と彼は言った。「それがお前の作家としてのいちばんの問題点だよ。お前はそのことを認めたくないんだ。悲劇だ！　明白な悲劇だ！　歴史的な悲劇だ！　救いはない。おしまいだよ」

「ねえパパ」と私は言った。「彼女は変わることができるのよ」

「お前自身の人生についても同じことが言える。お前はそれを正面からしっかり見つめなくちゃならんのだよ」。彼はニトログリセリンを二錠飲んだ。「5に合わせてくれ」と酸素ボンベの目盛りを指して彼は言った。そしてチューブを鼻の穴に差し込み、すうっと深く息を吸いこんだ。彼は目を閉じて、「駄目だ」と言った。

私は家族と取り決めをしていた。たとえ口論をしても、最後の一言は必ず彼に言わせると。でもこのことに関しては私にも私なりの責任というものがある。通りの向かいに住んでいるその女性。私は彼女のことをよく知っているし、また彼女は私の作りごとである。私は彼女を気の毒に思う。私は彼女をそこに置き去りにしておくわけにはいかない。家に閉じこもってしくしく泣いているままにしておくわけにはいかないのだ（現実の人生もまたそのまま彼女をそこに置き去りにしたりはしない。そしてそれは私のようには同情心を持っていない）。

だからこうなる。彼女は変革を遂げる。もちろん彼女の息子はもう二度と戻ってはこない。でも彼女は今イースト・ヴィレッジの通りに面したコミュニティー・クリニックで受付の仕事をしている。患者の多くは若い人々だ。何人かは昔の知り合いである。主任の医師は彼女にこう言った、「この病院に君のような経験のある人が三人もいてくれればねえ」と。

「医者がそう言ったって？」と父は酸素チューブを鼻の穴から外して言う。「やれやれ。またジョークか」

「ちがうわよ、パパ。こういうことはちゃんと実際に起こりうるのよ。昨今の世界はおかしなものになっているの」

「いや、ちがう」と彼は言った。「真実が第一だ。その女はずるずると駄目になっていくさ。人は人格というものを持たなくてはならない。彼女は持ってない」

「ちがうわよ、パパ」と私は言った。「嘘じゃない。彼女は仕事をみつけたのよ。ちゃんと大丈夫なの。表通りでちゃんと働いているのよ」

「いつまで続くかな」と彼は言った。「悲劇だ！　お前だって同類さ。いつになったらお前はそういうのと真っ向から向きあうんだ？」

The Immigrant Story

移民の話

ジャックが私に尋ねた。他の誰かの哀しみが投げかける影の中で成長するというのはつらいことだと君は思わないか？

まあそうなんでしょうね、と私は答えた。あなたも知ってるように、私は上昇志向という夏の陽光の中で育ったの。おかげでそんな暗い祖先伝来の哀しみはたっぷりと吸い取られちゃったわ。

彼は自分の人生のことを話し続けた。そういうのはもう本人の責任じゃないんだ。ひどい性格になったからといって、それは自分のせいじゃないんだ。でもそうはわかっていても、結局いつもいつもいつも腹を立てている。年じゅう怒り狂っているか、精神病院に入るか、それ以外に出口はないよ。

その哀しみがすべて歴史のせいだとしたらどうなのよ、と私は質問した。

ヨーロッパの残酷な歴史、と彼は言った。そのようにして彼は私のおなじみのテーマのひとつに対する皮肉に満ちた敬意を表したのだ。

全世界はヨーロッパに対して、その残酷な歴史ゆえに敵対せざるをえないのよ、ジャック。そしてまた同時にヨーロッパを認めざるをえないのよ。一千年という歳月の末にそれが何かの知恵《センス》を身につけたかもしれないという理由で。

くだらん、と彼は感情をこめずに言った。一千年にわたって止まることを知らず放出され続けた帝国主義的な残虐性は、嫌でも敵を生み出すものだし、そのような敵と関わるにあたって良識《グッド・センス》くらいしか手持ちのものがないというのは、あんまりな話なんじゃないのかな?

ねえあなた、良識の威力というのは未知数なのよ。それはまだしかるべく育成されたこともなければ、十全に試されたこともないのよ。

なあ、僕の話をちゃんと聞いてくれ、と彼は言った。いいかい、ある日僕は目を覚まして、父親がベビー・ベッドの中で寝ているのを目にした。

どうしてまた、と私は言った。

母親が彼にそこで寝なさいと言ったからさ。

ずうっと?

少なくともそのときはね。僕がそれを目にしたときにはね。

どうしてかしら、と私は言った。

母は父とファックしたくなかったからさ。

それはちがうと思うわ。誰がそう言ったのよ？　彼は私に向けて指をぐっと突き出した。

そんなもの言われなくたってわかるさ！そんなの嘘よ、と私は言った。赤ん坊を五人くらいたてつづけに産んだとか、あるいは明日の朝六時に起きなくちゃいけないとか、お互いに憎しみあっているとか、そういうのでないかぎり、たいていの女は夫にやってもらうのが好きなものなのよ。

よしてくれよ！　母は父にやましい思いを味わわせようとしてたんだ。親父はどこにキンタマをつけていたんだろう？

私はそういう質問には絶対にとりあわない。そのような質問は、何度も何度も不安げにくり返されているうちに、あるいは世界を破滅させる一因にもなりかねないのだ。私はそれに対して二分間の沈黙をもって答えた。

惨め、惨め、惨め、と彼は言った。陰鬱だ。考えるだに陰鬱だ。母がそのベビー・ベッドに近寄って言う。さあシュムール、起きるのよ、と彼女は言う、急いで角の食料品店まで行ってコテージ・チーズを半ポンド買ってきて。それからドラッグ・ストアに行って肝油を少し買ってきて、急いで。うすよごれた胎児のように身を縮めた父は顔を上げて、そのガミガミ女に向かってただただにこにこしてるだけなんだ。

どうしてあなたにそんな細かいところまでわかるのよ、と私は訊いた。そのときまだ五つくらいでしょうが。

じゃあ君は事情をどう説明するんだよ？

教えてあげるわ。むずかしいことじゃないわよ。まともな生活をしてきた人間なら、どんな馬鹿にだってそれくらいわかる。十年間たっぷりと精神分析をやって、その堆肥の醱酵の中で頭が霞んじゃった人でなければちゃんとわかることなのよ、そんなの。

じゃあ教えていただこうじゃないか、と彼はわめく。

あなたのお父さんがベビー・ベッドで寝ていた理由はね、あなたとあなたの妹が猩紅《しょうこう》熱にかかったからよ。それでふたりはもっときちんとしたベッドに移る必要があったのよ。汗をかくためにももっと広い場所が必要だったし。回復するにしろ死んでしまうにしろ、熱の峠まで行く必要があったのよ。だからそのかわりにお父さんがベビー・ベッドに移ることになったわけ。

誰がそんなこと言ったんだ？　彼は私の体を突いた。まるで私が自分の敵であるかのように。

お前なんか俺の敵だ、と彼は言った。お前はいつも物事を明るく明るく見ようとするんだ。まったくどうしようもないお気楽女さ。小学六年生の頃からそうだった。ある日なんかアメリカ国旗を三本持って学校に来たもんな。

それは真実であった。三十年前のことだが、私は六年生の集まりで、演説をしたことがあった。私はこう言った。私は、自分が今ヨーロッパにいないことに対して毎日神様に感謝を捧げています。自分がアメリカに生まれて、東百七十二丁目に住んでいることを感謝しております。そこには食料品店があり、キャンディー・ショップがあります。角にはドラッグ・ストアがあり、同じブロックにはユダヤ教会があり、医院もふたつあります。

百七十二丁目なんて糞だまりだった、と彼は言った。あのあたりで生活保護を受けてないのは君の家くらいのもんだった。結核患者だけで三十人はいた。戦争前は市民権があろうがなかろうが、みんな餓死寸前だった。ありがたいことに、資本主義が時折おなじみの餌袋から戦争をひっぱり出してくれるもんだから、それでなんとか飢えがしのげているんだ。それがなかったら俺たちみんな枕並べてくたばってるさ。ははは。

あなたも株券や債券や現金にまだ完全には洗脳されきっていないみたいね。あなたがまだ折にふれて資本主義について言及するのを聞くと実に心が休まるわ。

貧困と聡明な頭脳、そして柔らかな毛が顔と股間に早い時期からふんだんに生えてきたせいもあって、我が友ジャックは十二歳の誕生日の朝を迎える頃にはいっぱしのマルキスト兼フロイト学徒になっていた。

実際の話、彼の精神はいろんな思想でたっぷり膨らんでいた。私はさらにたくさんの旗を掲げ続けた。部屋ごとに窓ごとに、私は二十八本の旗をはためかせた。腕に旗をひとつ入れ墨した。今ではその色も薄くなったが、中年になったせいで面積はずっと広がってしまっている。

今のあなたよりは、私のほうがたぶんラディカルだわよ、と私は言った。マッカーシーの審問の時期に専門職から追放されなかったから、私は生活のためにビジネス界に入ってお金を儲けたりしないですんだのよ（当然のことながら、多くの人々は今日にいたるまで追放になったままでいる。才能のあるエンジニアたち、思いやりのある教師たち……このことは私に勇気や忠誠心というものについていろいろと考えさせる）。私はあなたと同じくらい明晰に世界を見ていると思う、と私は言った。世界を見る窓の窓枠として、お気楽なバラ色は陰鬱な灰色に決して負けないわよ。

わかった、わかった、わかった、わかった、わかった。なあいいかい、僕の言うことを黙って聞いてくれ。

僕の父と母はポーランドの小さな町からやってきた。彼らには三人の息子がいた。父はアメリカに行こうと決心した。その理由は（1）軍隊に入りたくないからであり、（2）刑務所にも入りたくないからであり、（3）子どもたちを間断なき闘いや、しょっちゅう起こるユダヤ人虐殺から守るためだった。彼は両親や叔父たちや祖母の貯金によって助けられて、国をあとにした。その年には彼の他にも何十万人という人たちが国をあとにした。アメリカのニューヨーク・シティーで、彼はつらいけれどそれなりに希望のある生活を送った。ときどき彼はデランシー通りを歩いた。あるときは彼は独身者のようにセカンド・アヴェニューの劇場にでかけた。でもおおむねのところ、彼はこの場所に妻と子どもたちを呼び寄せることができるように金を蓄えた。そうこうするうちに、ポーランドを飢饉が襲った。アメリカ人がみんな一日に六回か七回経験するような空腹ではない。本物の飢饉だ。それは体が自らを貪り食うよう強いるのだ。まず脂肪、そして肉、筋肉、やがて血液を。飢饉は小さな少年たちの体をあっという間にむさぼりつくしてしまった。父は港に母を出迎えた。彼は彼女の顔を見て、それから彼女の両手を見た。彼女の腕の中に赤ん坊の姿はなかった。スカートにすがる子どもの姿もなかった。二本の長い黒髪のおさげはもうなかった。暗い色のもしゃもしゃとしたかつらの上にスカーフがかけられていた。彼女は頭を剃っていたのだ。時代遅れのユダヤ教正統派の花嫁のように。でも彼らは彼らの町の若者の大半がそうであったように、先進的な社会主義者だった。彼は彼女の手を取って、家に連れて帰った。仕事に行ったり食料品店に買い物にでかけるときを別にすれば、ふたりは常に一緒に外出した。テーブルに就く時にはいつも手を握りあった。たとえそれが朝食の席であってもだ。ときには彼は妻の手をとんとんと叩いた。ときには彼女のほうが彼の手をとんとんと叩いた。彼は妻のために毎晩新聞を読んでやった。

　ふたりは椅子の先っぽの方に腰かけている。彼は前屈みになっている。古い電球の光で新聞を読んでやるために。ときには彼女はほんのちょっと微笑む。それから彼は新聞を下に置いて、彼女の両方の手を取って握る。まるでその手が温かみを必要としているかのように。彼は読み続ける。テーブルとふたりの頭のすぐ先には、台所の暗闇があり、寝室の暗闇があり、食堂の暗闇がある。そんなうすぼんやりとした暗闇の中で、子どもだった僕は夕食を食べ、宿題を片付け、そして眠ったのだ。

The Long-Distance Runner

長距離ランナー

ある日、四十二歳の前後のことだけれど、私は長距離ランナーになった。ずいぶん肉がついていたし、このような欲望をかなえるには多くの点において能力不十分であったのだけれど、私としては少しでも遠くに、少しでも速く行きたかったのだ。べつに自転車や列車みたいに速く行きたいというのではない。台北とか、四川省興文とかいったようなところにまで、あるいはバス発着所にいる船員たちが旅の話をするときに口にするような「細い目のスケたち」のいる島にまで行きたいわけでもない。私はこの地域《カウンティー》をぐるぐるとまわってみたかったのだ。海辺から橋へと、そして昔住んだことのある通りを二回ばかり走り抜けてみたかったのだ。寄る年波と、再開発が、私自身と街並みに対して引導を渡す前に。

私はまず田舎を試してみた。コネチカットだ。そこには緑が多く、春になると花の蕾であふれる。すべての創生は秘密に覆われている、とでも言おうか。そんなわけで私は広々とした郊外の丘でトレーニングをした。私はそこでは顔を知られていなかった。私はハナミズキの花のあいだを抜け、それから月桂樹の花のあいだを抜け、その春のあいだずっと走り続けた。

時折、人々は私を呼び止めて、どうして走っているのですかと尋ねた。なにしろシルクのショートパンツをはいたご婦人が、そのむっちりとした太腿を半ばむき出しにしているのだ。練習です、と私は答えた。そしてさらにくわしく尋ねられたときにだけ、歩をとめて返事をした。私はまた、白いノースリーブのアンダーシャツを着ていた。その下には申し分ないサポートをつけていた。おじさんたちや、とりすました子どもたちの注目を浴びたりしないように。

そして夏がやってきた。私の両脚は強くなったようだった。私は息子たちにさよならのキスをした。そのころには彼らはもう大きくなっていた。いずれにせよ、一人立ちをする時が近づいていたのだ。私はミセス・ラフタリーに、ときどき顔を出して、子どもたちにあなたのろくでもないケルト風の夕御飯でも届けてちょうだいねと頼んでおいた。

私は彼らに言った。あなたたち、出ていきたければ、いつでも出ていっていいのよ。自分一人の自由な人生を歩みなさい、と私は言った。私を巻き込まないでくれるんなら、好きにしてちょうだい。

賢者にはひとことで足りる……とリチャードは言った。

あなたは気分が落ちこんでいるのよ、フェイス、とミセス・ラフタリーは言った。ボーイフレンドのジャックが――あなたが熱々になっているあの人が――電話をかけてこなかったせいで、あなたは日曜日のダニみたいに暗い気持ちになっているのよ。

そういう陳腐な表現はよしてよ、ラフタリー、と私はつぶやくように言った。彼女の瞳は涙で濡れた。なぜなら「陳腐な表現」というのが、つまり爪先から頭のてっぺんまで、彼女そのものだったからだ。それ故に私は彼女を好きになり、愛し、創作し、また堪え忍ぶことができたのだ。

私がドアから出るとき、彼らはテレビの前にくつろいで座って、ニュース番組を見ていた。リチャードとトントとミセス・ラフタリーだ。月への飛行が実際にあったということが、迫真の画像によって証明されていた。そしてアフリカと南アメリカは激しく渦を巻く雲に実際に覆われていた。

じゃあね、と私が言うと、彼らは、ああ、じゃあ、うん、と言った。

ふん、それならそれでいいわよ、と私は大きな声で言った。そして地下鉄インディペンデント線でブライトン・ビーチまで行った。

ブライトン・ビーチで私は〈ソルティー・ブリーズ・ロッカールーム〉に寄って、服を着替えた。二十五年前に父は将来の発展に期待して、そこに五百ドルを投資した。たしかに彼は今でもそこから年におおよそ三ドル五十セントの利益を得ており、それは（法律により）〈ユダヤの子どもたち〉に直接送られ、赤字の穴埋めにまわされている。

た。私が軽々と気持ちよく走り始めたとき、誰もそんなことにたいして注意も払わなかった。私はまず海岸のボードウォークの上を走った。ソフトクリーム・スタンドと退化した砂丘とのあいだにある、母親のビラ配りのステーションの前を通って。彼女はシンプルな社会主義者の良識をもって、凶暴なアメリカ企業の潮流を押し止めるべく、同志たちからビラ配りの任務を与えられていたのである。

私は立ち止まって、その長いビーチを愛《め》でてみたいと思う。ニューヨークの街についての感嘆をこめて想うために、しばし歩を止めたいとも思う。世に朽ちゆく都市は数々あれど、これほど健康的に日焼けし、本物の砂浜に恵まれ、その潮の香りのする端っこにそばかすのように市民を散らせた場所は、そんなにない。しかし私は既に人生の多くの時間を、寝ころんだり、立ち止まったり、じっと眺めたりすることに費やしてきた。だから走ることにする。

一マイル半ほどでボードウォークを離れ、ゆっくりとした足どりで私は、昔住んでいたあたりに入る。気持ちよく私は走っている。私の呼吸はゆったりとして、深い。なかなかのフォームだと、自分でも思う。

突然私は三百人くらいの黒人に取り囲まれる。

あんた誰よ？

なんだあれ？　あの女見てみなよ！　見てみなって！　あんなでけえケツ、見たことねえや。

かわいそうに。あの人はおかしいのよ。みんな、かまうんじゃないよ。ほらほら、かまうんじゃないって言ってるだろ。

昔このあたりに住んでいたんですよ、と私は言う。

ああ、昔はこの辺に白人が住んでいたってねえ。でもそのころはひでえとこだったって聞いてるけどさ。

でもここが好きだったわ。私たちはフラットブッシュ・アヴェニューとかタイムズ・スクエアなんて一回も行かなかったな。私たちは自分たちのブロックが大好きだったのよ。

ほんだらまあ、お気の毒様、真っ黒けのおっぱいだね。

あなたのものの言い方はかっこいいわね。メタファーとかそういうの。

ああ。そういうのはしゃべり言葉から出てくるんだ。

私たちもそうなのよ。それにアイルランド人のことも忘れちゃいけないわ。しゃべることにかけちゃたいしたものよ。

それ、誰のこと？　と小さな子どもが尋ねる。

おまわりのことだよ。

でも最近じゃ警察もアイルランド系ばかりじゃないわよ、と私は口をはさんだ。

たしかにね、と二人のご婦人は言った。そうじゃないのもずいぶん増えたね。うん、ずいぶん増えた。たしかに。フランス人、中国人、露助、コンゴ人。そうだねえ、あんた、たしかにあんたの言うとおりだよ。

私はあの家に住んでいたことがあるのよ、と私は言った。そのアパートメント・ハウスに。生まれてから結婚するまで、ずうっと。

そういうのって、今じゃ簡単なことじゃないんだよねえ。ひとつのところにずっと住み続けるってのはね。うちのおっかさんはそんなふうにして、サウス・カロライナに住んでいたよ。おっかさんの、そのまたおとっつぁんは百姓してたんだ、と彼女は言った。食い扶持《ぶち》だけは稼げた。冬やら戦争やら不景気やらでもね。ローズヴェルト！　たいしたもんさね。素晴らしいと思わないかい！　寒さしらずの土地だもんね！　大きな木もあってね！

その部屋よ。私は見上げ、指をさす。あそこ。三階よ。

みんなが上を見上げる。それがなんだって言うんだよ！　このでぶでぶの悪魔め！と若い黒人の男が言う。彼は角縁眼鏡をかけていて、インテリみたいに見える。私が十八になって初めてシティー・カレッジの学生たちを目にした当時、こういう見かけの連中がけっこういたものだった。

彼はどうやらみんなを軽蔑や怒りに駆り立てたようだった。いちばん小さな子どもたちまでもが「やい悪魔、やい悪魔」と歌いながら、芝居がかった忍び足で私の方に向かってきたからだ。でも小さな子どもたちが私に悪意を持っていたとは思わない。その証拠に彼らは、私を指でつっついてから、声をあげて笑った。

でもここは冷静にならなくては、と私は思った。というわけで、私は間髪を置かずいくつかの事実を持ち出した。私は言った、あなたたち花の名前をいくつ言える？　野原に咲いている花よ。うちの近辺の人たちは二つしか言えなかったわ。今はみんなそうなんだってね。金持ちでも貧乏人でも、花の名前は二つしか知らなかった。薔薇とすみれだけ。

ひなげし、と一人の少年が即座に言った。

草《ウィード》、ともう一人が言った。それも花のうちよね、と私は思った。でもほかのみんなはそれが冗談だとわかった。

ユキノシタ、ルピナス、と一人の女性が言った。シベナガムラサキ、と小柄なガールスカウトが言った。ミディアム・グリーンの制服に、濃い緑のスカーフという格好だ。そして『野生の花ハンドブック』を上に掲げている。

あんたはどれくらい知っているんだい、ファット・ママ、と男の子の一人が温かい口調で尋ねる。彼は私がママであることにも、太っていることにも悪意を抱いているわけではない。私は彼に注意を集中する。

ねえ坊や、と私は言う、おばさんはちょっとしたものなのよ。黄色い花だけでもこれだけ知っている。キジムシロ、カタクリ、黄色カタクリ、ウマノアシガタ、キンポウゲ、カタバミ、イエロークローバーとホップクローバー、紅輪タンポポ、マツヨイグサ、ブラックアイド・スーザン、ゴールデン・アスター、それから水際ぎりぎりまで生えている黄色ラテンミズアオイ、そしてもちろん普通のタンポポ。私はそれだけ全部ちゃんと実際に見たのよ。自分の目で全部。

あそこのボードウォークから中国まで見えるんだよ、と男の子の一人が言う。晴れた日にならね。

私は国の名前よりもよく花のことを知っているの。最近の若い人たちはたくさんの国に旅行をしているみたいだけれど。

僕はちがう。どこにも行ったことないよ。

僕だって、と十七人くらいの男の子たちが一斉に言う。

行っちゃいけないってあたしは言われてるの、と一人の女の子が言う。酔っぱらいのジャンキーがごろごろしてるからって。

ちょっと待って、待って！　と一人の長身の黒人青年が声をあげる。きわめてハンサムで、身なりも良い。僕はアフリカ人だ。僕の父さんは高地にある簒奪《さんだつ》された平原からやってきた。僕は世界をまわったよ。モスクワに六カ月いて、機械工学を学んだ。フランスにもいて、そこでフランス語を勉強した。イタリアにも行った。そこでルネッサンスのスタイルと人々の親切を目にしてきた。英国にも行って、そこで慣習法《コモンロー》と都市の荒廃を学んだ。キューバでおこなわれた黒人青年会議にも出席して、僕らの情熱を我が身に感じた。そして僕は今ここにいる。僕はここでエンジニアになって、同胞の待つ国に帰るつもりなんだ。ノルウェイの帆船に乗って、喜望峰をまわってね。そのようにして僕は帆走の昔ながらの技術を身につけるつもりなんだ。内陸部にある僕の古い祖国の、新しい社会のエンジンが故障したときにそなえてね。

そのあとでとてつもなく長い沈黙がおりた。やがて白いレースのハイカラーのついた黒いドレスを着た老婦人が、まったく同じ服装をしたもう一人の老婦人に話しかけた。頭の中に魚汁じゃなくてちゃんと脳味噌を詰めている人がいるってのはいいことよね、と。エーメン、と数人が声を合わせた。

おばさん、ミセス・ラディーを訪ねてみればいいじゃない。あんたの昔の部屋に今住んでる人のとこを。ガールスカウトがそう言った。

ほう、あんたが訪ねてきたらさぞかし喜ぶだろうよ、どこかの皮肉屋がくすくす笑いながらそう言った。

彼女は心臓の脈がおかしいんだよ。亭主のおかげでそうなったんだけどね。

それだけじゃないよ。あの男は天性、なんでもおかげしちゃう性格なんだ。

連れてってあげるよ、とガールスカウトが言った。あたしの名前はシンシア。ブルックリンの三五五部隊に属しているの。

私は服だってちゃんと着てないのよ、とでこぼこの膝を見ながら、私は言った。だから、ゼッケンとかチーム名の書かれてないシャツを着たりしちゃいけないんだよ。

それじゃ下着のシャツにしか見えないよ。

シンシア！　そいつを上に連れていったりしちゃいけねえよ、と偉ぶった少年が言った。その女、アタマおかしいんだ。だから連れていくんじゃない。わかったか？

ローレンス、と彼女は静かに言う、もう一度あたしに命令がましいことを言ってごらん、電柱にぐるぐる巻きにしてやるからね。

行こう！　と彼女は力強く私に向かって言う。

そのようにして私は子ども時代に住んでいた家の玄関へと導かれていった。

目にした最初のドアは、はげかけた金張りの字で1Aと書かれていた。そこは管理人が住んでいたの、と私は言った。彼は黒人だったのよ。

どうして？　シンシアは驚いた顔をした。どうして管理人が黒人だったの？

ああ、シンシア、と私は言った。それから一階正面にあるその向かいのドアに目をやった。1Bだ。私は覚えていた。ここはミセス・ゴレディッキーの住居だったわ。ものすごくものすごく太った女性だったのよ。彼女の子どもたちはみんな産まれたとたんに死んだ。産まれて、いちにさん、すぐに死んだ。五人の子どもたち。それからミスター・ゴレディッキーが言った。なあテッシー、私はお前にとっての不運の星のようだ。そして出ていってしまった。七年間にわたって彼は毎週十五ドル送金し続けた。その後の彼の消息は誰も知らない。

その人のことは知っているよ、とシンシアは言った。気の毒な人。一昨年の夏に市の役人がやってきたの。においがしたのでわかったのよ。遺体をキャンバス布でくるんだわ。玄関のドアが通り抜けられなくて、体の一部がこそげ落とされちゃったの。うちのロナルド叔父さんが手伝わなくちゃいけなかったんだけど、ものすごい嫌な顔をしていたな。

たった二年前。彼女はまだここに住んでいたんだ！　彼女は怖がっていなかった？

あたしたちだってみんな怖いわよ、とシンシアが言った。白人だけがとくべつなわけじゃないわ。

あそこの2Bには誰が住んでいたの？　と彼女が尋ねる。今ではあたしのいちばんの親友のナンシー・ロザリンドがここに住んでいるの。彼女にはお兄さんが二人いて、お姉さんは結婚して赤ん坊も一人いるの。ナンシーは肌の色がものすごく薄いの。彼女のお母さんとはちがってね。あたしたちのところにはありとあらゆる色の肌の人がいるわ。

あなたのいちばんの親友？　それは奇遇ね。というのは実は私のいちばんの親友もまさにそのお部屋に住んでいたのよ。ジョアンナ・ローゼン。

その人はどうなったの？　シンシアは尋ねた。その人もやっぱりランニングシャツを着ているわけ？

よしてよシンシア、もしどうしても知りたいのなら教えてあげましょう。彼女はマーヴィン・ステアズという人と結婚したの。

それ、誰？

彼の業績を頭の中に並べてみた。うん、その人はジョマー・プラスチックという大きな企業の社長なの。その企業は鉄鋼会社やらラジオ局やら新型のコピー機なんか（ひとつひとつちがう二十五ページを全部いっぺんにコピーできるようなやつ）の会社を傘下におさめていた。この企業はひとつ基金を持っていた。ジョマー自然保護研究基金。資本主義は社会のお役に立っております、というわけね、と私はつけ加えた。

どうしてそんなことまで知っているの？　その人たちの家にちょくちょく行ったわけ？

いいえ。そうじゃなくて、たまたま新聞の経済面を読んで、彼らについてのそんな情報を仕入れたの。つい先週にね。こう思ったわ。いろんな人生があるんだって。それだけ。

〈人それぞれに、それぞれの人生〉っていうもんね、とシンシアが言った。

私はひやりとした大理石の階段に腰を下ろし、ジョアンナの従兄弟のジギーのことを思い出した。彼は私たちよりも年上だった。彼は詩を書いた、私たちは美しい花で、私たちの脚は花弁である、と。たとえ何度拒んだところで、自然はいつか私たちを無理にでも花開かせてしまうことだろう、と。

それから私は、子どもとは共有することのできないいくつかの内面的な思いに耽《ふけ》った。

それは人の顔を空白にしたり、あるいはそこにメランコリーの色を与えたりするような類の思いだった。

もう興味がなくなったのね、とシンシアは言った。もう口をきかないんだね。ここには誰が住んでいたの、この2Aには？　誰なの？　今ではここには男の人が二人住んでいる。女の人たちが出たり入ったり。母さんは、あぶないあぶないって言うの。あすこに近づいちゃいけないよ、お前、近づくんじゃないよって。

思い出せないわ、シンシア。ほんとに思い出せないの。

思い出してよ。そのためにここに来たんでしょうが。

私は思い出してみる。2A。2A。あれは双子だっけ？　まるで思い出すことによって過去の存在そのものが左右されてしまうみたいな強い責務感を私は感じてしまう。でもそんなわけはない。

ねえシンシア、私はもうこの先には行きたくないな、と私は言った。私はもう思い出したいとも思わないの。

行こうよ、と彼女は私のショートパンツをひっぱりながら言った。ミセス・ラディーに会いたくないの？　あんたの昔のうちに住んでいる人に。会えたら素敵じゃない。

いいえ、私はミセス・ラディーに会いたくないわ。

下であの男の子たちが言ったことなんてぜんぜん気にすることないのよ。あの人、あんたのこときっと気に入るわよ。ねえ、悪い人じゃないのよ。あの人はほとんどの白人のことは嫌いだけど、あんたのことは好きになるかもしれない。

ちがうのよシンシア、そういうことじゃないの。私は私のお父さんとお母さんの家を、今目にしたくないの。

なんと言えばいいのか、わからなかった。私は言った、それはお母さんが死んでしまったからなの。でもこれは嘘だ。母は〈ユダヤの子どもたち〉という老人ホームの個室で、父親と二人で元気に暮らしている。片手をその社会主義的な心臓の上において、毎日朝食のあとで新聞を読んでいる。それから悲しそうな声で父に向かって言う、毎日毎日、同じことばかりね。死ぬ……死ぬ、殺されて死ぬ。

お母さんは死んでしまって、それで私は中に入る気持ちになれないの。

ああ、そうなの、気の毒に、と彼女は言う。私の目をじっとのぞきこみながら。うん、もし母さんが死んじゃったら、あたしはどうしていいかわかんないだろうな。もしあたしがあんたくらい大きくなっていたとしてもさ。自殺しちゃうかもしれないよ。彼女の目に涙があふれ、頬をつたって落ちた。母さんが死んじゃったら、どうすればいいんだろう？　母さんはあたしを守ってくれているの。麻薬の売人があたしに近づかないようにしてくれている。あたしをしっかりと抱きしめてくれる。ラドフォード叔父さんがあたしを取り戻しにきても、あたしを長持ちの中に隠してくれるんだ。あたしの母さんが死ぬなんて、そんなことありえないよ。

シンシア、大丈夫、あなたのお母さんは死んだりしない。まだ若いんだしね。彼女を慰めるために私は手を伸ばす。あなたはうちに来て暮らしたっていいのよ、と私は言う。私のところには男の子が二人いるけれど、どっちももう大きくなってしまったし、女の子が持てなかったことを私は残念に思っているから。

なんだって？　何よそれ、あんたと二人の男の子と一緒に暮らすって？　彼女は私の手をふりほどき、階段の方に走って逃げた。あたしに近寄らないで、このフーテン女。白人の男の子ってのがどんなだか、あたしはよく知っているんだよ。みんな黒人の女をモノにしたがっているんだ。母さんがそう言ってたよ。あんたは勝手に白んぼの男の子と暮らせばいいさ。あたしのことは放っておいてちょうだい、ふん、とんでもない。誰か助けて！　と彼女は金切り声をあげ始めた。お願い。誰か助けて。こいつ、あたしをさらおうとしてるんだよ！

彼女は壁に体をぴったりとつけて、震えていた。彼女があまりにも私のことを怖がるので、私もすごく怯えてしまった。それで「大丈夫よ、何もしないから怖がらないで」というようなことを言ってなだめるだけの余裕もなくなってしまった。彼女の救助をするべく人々が駆けつけてきた。大きな男の子たちが叫んだ。今行くぞ、待ってろよ、今行くからな。私は怯える娘をあとにして、階段までとんでいって、一度に二段ずつ駆け上った。昔住んでいたうちのドアの前に来た。そしてまるで家主みたいにドアをどんどんと叩いた。大きく激しく。

ママはいないよ、と子どもの声が聞こえた。ちがうの、と私は言う。私よ！　私は女で、誰かに追いかけられているの。お願い、中に入れてちょうだい。ママはいないよ、誰も入れちゃいけないって言われているんだ。

私よ！　と恐怖に駆られて私は叫ぶ。ママ！　ママ！　中に入れて！

ドアが開いた。年齢の推定しようもないほっそりとした女が私を見た。中に入ってドアをしっかりと閉めて、と彼女は言った。彼女は私の二の腕をぎゅっと強くつまむようにつかんだ。それから自分でドアの掛け金をかけた。あのちんぴらたちに追いかけられてるんだろ。あの恥知らずのやつら。ドナルド、お前、この白人のレディーを隠してあげるんだ。お前のベッドの下に入れるんだよ。お前のベッドは丈《たけ》があるだろう。

いいんです。ここでけっこうですから、と私は言った。私はこれで助かったと胸をなで下ろしていたのだ。

あんたはあたしのうちにいるんだ、と女は言った。だから言うとおりにしてもらおうじゃないか。うだうだ言ってたら、放り出しちまうよ。

私はそのちびの小便臭いマットレスの下にもぐりこんだ。ノックの音が聞こえた。おどおどとして、遠慮がちなノックだった。ママに開けちゃいけないって言われてるんだ。ドナルド！　と誰かが名前を呼んだ。おいドナルド！

だめだよ、と彼は言った。そんなことできない。そんなことしたら、母さんにどやされちゃうよ。どんなだかわかるだろ。今朝だって死ぬほど叩かれたんだ。だめ、ドアは開けられないからね。

私はその部屋でおおよそ三週間暮らした。ミセス・ラディーと、ドナルドと、ほとんど同じくらいの年の三人の赤ん坊の女の子たちとともに。私は彼女にアイルランド系の双子についてのジョークを話した。アイルランド系じゃないよ、と彼女は言った。ほとんど毎朝、赤ん坊たちは六時四十五分に私たちを起こした。私たちは赤ん坊に哺乳瓶をたっぷり一瓶ずつ与え、それからベッドに戻って八時までもう一回眠った。私がコーヒーを作り、彼女がおむつを替えた。しばらくのあいだ部屋はものすごく匂った。この時刻にはいつも私はこう言ったものだ、ねえ、いろいろとありがとう、でもそろそろ帰らせていただこうかな。出ていく潮時じゃないかな。それに対して彼女はいつもこう言ったものだ、何もそんなに急ぐこたない、もう少しいればいいじゃないか。もっと機嫌がよくないときにはこう言った、行きゃあいいだろ！　出ていきなよ！　まったく白んぼの女と一緒にいると、臭くって馬の鼻だって曲がっちまうんだから。出ていきなよ！

ドアの近くに行くと、人の話し声が聞こえた。恥ずかしいことに、それで私は怖くなってしまった。私は地理的に言えば広く人類全般を愛するものだが、地域的《ローカル》な恐怖に襲われることはある。

出ていくか出ていかないかという問題については、ひとつセンチメンタルな事情もあった。そこはまさに、かつて私が長い期間にわたって家族とともに日々を送った自分のうちだったのだ。浴室のタイルが一枚割れていたが、それは私が金槌を落として割ったものだった。寝ぼけまなこの兄のチャールズがおちんちんでパンツを半分ばかり盛り上げたまま髭を剃っているのを目にして、その足の指の上に金槌を落としてしまったのだ。驚きと知識が、そのとき初めて私を捉えた。台所は同じだった。テーブルはほうろう製で、それは私たちのような暮らし向きの人たちにとってはありふれたものだった。簡単にふき取れる。木製のアンダーコーナーがついていて、これは台所の流しまでたどりつくことのできないほど困窮して年老いたゴキブリたちのためのものだ(でもそれは同じテーブルではなかった。というのは私たちが使っていたテーブルは、キズやら何やらこみで、私が引き取ったからだ)。

居間の様子も私たちの頃とだいたい同じだ。ただしプラスチックがずいぶん増えている。昔はプラスチック製品が今みたいには多くなかったのかもしれない。それから私の母はベッドにも椅子にも、綺麗なクッションを並べていたものだ。母はそのようにして芸術的に自らを表現していたのだ。晩に刺繍をしたり、花模様の木綿の端切れを取って、それを普通の白か青のモスリン布にものすごくデリケートなデザインで縫いつけたりして。女たちはいつもいつもそうやってきた。あれやこれやの大きさの、生きたり死んだりをくり返す材料を用いて、こう言うのだ、ここが私の場所なのと。

ミセス・ラディーは言う、へえん、そうかね。

もちろん、男たちにはそういう発散場所がないけどね、と私は言った。だからみんな外に出て遊びまわるのよ。

飲み過ぎてぶっ倒れるまでね、と彼女は言った。

そうよ、と私は言った。それと同じことが世界で大きなスケールで起こっているのよ。まず彼らは何かを作る。次にそれを殺してしまうの。そしてその一部始終がいかに面白いことだったかという本を書くのよ。

そのとおりかもしれないね、と彼女は言った。でもこう言うこともあった。あんたにはなーんにもわかってないよ、お嬢ちゃん。

私たちはときどき窓際に一緒に座って、下を見おろしていた。窓辺に小さなそよ風のかたまりが生まれた。眩《まぶ》しい午後が四つ角にあり、通りのずっと先の方にもあった。男たちってあんたは言うけれど、と彼女は言った。男たちってさ。でも、一人の男ってことじゃないかい、それ。

私たちの四階下では、十人くらいの人々が玄関前の階段によりかかっていた。彼らのまわりには荒廃があった。ちょっと待って、と私は言った。私は走っている途中で荒廃を目にしてきた。ランニング靴の中にいくらかそのかけらまで入れた。そのほこりを目の中にも入れた。そういうとき、私は一人の市民としてのいささか憤然とした慇懃《いんぎん》さをもって、こう考えていた。これはニューヨーク市に対する侮辱だ——私がかくも愛し、日々走り抜けているこの街に対する。

でも今では、この住まいの高みから見おろしていると、私はそれをもっと明瞭に目にすることができた。私の昔からの変わらぬ友であるジャックが、ぱっとしない大人になるまで暮らしていた家屋は、まず火災によって、それから取り壊しによって破壊されていた(鋼鉄の球を振り子にして部屋や台所を砕いてしまうわけだ)。この作業のおかげで、横五ブロックくらい縦一ブロック半にわたって、遮るものもなく、広々と見渡すことができた。クレイジー・エディーの家はまだ建っていた。名高い一五一〇番地は中身を抜かれ、黒い窓枠は残っているものの窓ガラスはなく、壁の下地板がむき出しになっている。まったく、なんとしつこく梁が長らえていることだろう！　誰かが、あるいは家族だろうか、まだいちばん下の階に住んでいた。あいだの空き地には古いソファーが二つばかり、膨らんだ面を下にして放り出してあった。スプリングが宙に突き出している。まるで戦争中みたいに、半ダースほどのニワウルシの木が、既に四分の一インチほどの地面を確保し、死んだ庭に生命の攻撃をしかけようとしている。夜になれば、ここをきっと動物たちがうろつくのだろう。わめきたて、吠えたて、怒り狂うニューヨークの犬たち、野良猫たち、大きなドブネズミたち。あなたはまるでベア・マウンテン・パークに来たような気がすることだろう。怖くて外にも出られませんよ、というわけだ。

誰かがあそこを綺麗に片付けるべきだわ、と私は言った。

ミセス・ラディーは言った、たとえば誰が？　ケネディー夫人とか？

ドナルドがしかめ面をする。彼は言った、それこそ僕が大きくなったらやりたいことだよ。清掃局のやつをあそこに連れていって、言ってやるんだ。お前あれが見えるだろう、この役立たずの豚野郎、今すぐあれをきれいに片付けるんだ、わかったか！　そして彼は足をばたばたと踏み鳴らし、目をぎらつかせた。

ミセス・ラディーは言った、こっちにおいで、このちびのニガー。彼女はドナルドの頭のてっぺんにキスして、それと同時にそのお尻をぴしゃっと叩いた。

あれを見てみなよ、とドナルドは調子に乗って言った。外を見てみなよ。いいから見てくれよ。私たちはすでに見ていたのだけれど、彼を喜ばせるためにあらためてそっちに目をやった。玄関前の階段に大人の男たちと男の子たちがたむろしていた。よりかかり、飛びまわり、片足で立ち、それから反対側の足で立った。靴下を脱いで、指をぽりぽりと掻いていた。おしゃべりをし、尻をついて座り、頭を垂れ、居眠りをしていた。

ドナルドは言った、あいつらを見てみなよ。あいつらには誇りってものがないんだ。あいつらは頭だけはアフロにしているけれど、頭の中がブラックだっていうことがわかってないんだ。

この子はもっと同情の心を学ばなくては、と私は思った。私は言った、あの人たちがああしているのには、それだけの理由もあるのよ。

まあね、とドナルドは言った。

でもそれはともかく、どうしてあなたは下に行ってほかの子たちと一緒に遊ばないの？　どうしてこの部屋にこもっているのかしら？

母さんがそうするなって言うからさ。あいつらの中には悪いやつがいるからって。悪いやつ。クスリの中毒にされちゃうかもしれない。あまり近寄らないようにしているんだ。

ただでさえアタマがいかれてるんだ、とミセス・ラディーが言った。

でもこの子はもっと同年代の子どもたちと遊んだほうがいいんじゃないかしら。

この子は学校でね、あの子たちに十分会っているよ。だからこのことにはもう口をはさまないようにしてもらいたいね。

実を言うと、ミセス・ラディー自身ほとんど家から出ない。買い物をするのはぜんぶドナルドの役目だ。彼女は福祉の検査官をうちに入れた。検針係に台所のメーターを読ませた。私は奥の部屋に身を隠し、そこから彼の姿を見ている。福祉の小切手だけはさすがに自分で取りにいく。彼女はそれを現金化する。帰ってきて赤ん坊を風呂に入れ、おむつを取り替える。洗濯をし、アイロンをかける。みんなにご飯を食べさせる。そして自由な半時間ができると、窓辺に座る。彼女は待っているのだ。

彼女はじっと外を見ながら、ある一人の男性がやってくるのを待っていたのだと思う。私はそのことについて彼女と話をしたいと思った。姉妹みたいに心を開いて語り合ってみたかった。でもそんな男のことは忘れちまいなさい、そんなやつは屑よ、とずけずけとものを言うためには、私が自分についてのばりばりの真実をいくつか相手に差し出しておく必要があった。自分自身について、私の子どもたちについて、父親なるものについて、夫なるものについて、通り過ぎていった人々について、デートの相手について、そしてまさにこの午後の窓辺で私の父と母が送っていた生活について。たとえば私はこんな話をした。どん底の時期にも、私は自分にひとつだけ、肉体的な快楽を許していた。それは朝御飯にクリーム・チーズを食べるということだった。実を言えば、そうすることによって私は、子どもたちからとても大事な品物や食品を時として取り上げていた。

あんたにはなーんにもわかってないんだよ、と彼女は言った。

それからしばらくのあいだ彼女は私に向かって、脳味噌がたりないおかげで無垢で調子っぱずれな清廉を保っている相手に対して、よく人が話しかけるような口調で話しかけていた。つらい時代に、彼女は二つの特別な愉しみを持っていた。ひとつは男だったが、男なんて長くは続かない。白人の女たちが、いちばん良い男たちを駄目にしちまうんだよ。男に、自分のおちんちんが黄金でできているみたいに思わせちゃうのさ。二番目の愉しみとして彼女は酒を試してみた。彼女は言った、酒は気に入ったね。あんたは自分ひとりでできる自分だけの楽しみを持たなくちゃいけないんだ。それから彼女は言った、でも毎晩酔っぱらっているようじゃまともな男の子を育て上げることはできない。

男の話に戻って、私は言った、白人だろうが黒人だろうが、男たちはみんな自分が世にも稀な贈り物を持ってきていると思いこんでいるのよ。でもそれはただのセックスにすぎない。そんなものはパンと同じようにどこにだってあるものよ。もちろんないと困るんだけど。

いいや、そんなものなくたって生きていけるさ、と彼女は言った。そんなものなしで生きている人間はいっぱいいるよ。

私は彼女にドナルドには最高のものを与えてやらなくてはいけないと言った。私はドナルドが好きだった。もし彼に何らかの欠点があったとしても、それは私の目にはほとんど入らなかった。子どもには欠点なんかないというのが私の持論だ。たとえろくでもない子どもたちだって。

ドナルドは利発な子どもだった。私の子どもたちだってそれは同じだが、ドナルドのほうが性格は素直だった。だからこそ私はこの部屋に住むようになってすぐにこう思ったのだ。本が自由に読めるレベルまでこの子をひっぱり上げてやろうと。本と新聞で勉強してみましょうと私は彼に言った。彼はすぐに近くの図書館に行って、私を喜ばせるために、まともな本を何冊か借りてきた。ジュリアス・レスターの『黒人民話集』と『プッシュカート戦争』(それは別の地区についての本だったが、関連性のあるものだ)。

読んだり書いたりすることについて話をするとき、ドナルドは常に私の言うことに同意した。たとえば私が詩について話したとき、彼は言った、詩のことなら僕はなんでも知っているよと。有名な黒人の詩人であるデヴィッド・ヘンダーソンが彼の二年生のクラスを訪れたことがあったのだ。というわけで、ドナルドは私の知ったかぶりの説明なんかよりは、遥か先のことまで承知していたわけだ。彼はだいたいにおいて買い物に追われて忙しかった。またご機嫌斜めの赤ん坊たちを笑わせるために、始終しかめっ面をしていなくてはならなかった。でも何か題材が現われたときには、通り過ぎて消えていったことばや出来事を、虚空の中からさっとつかみとり、詩のかたちにすることができた。

たとえばこんなこと。その朝、彼の母親が言った。まったくもう、小便やらおむつやら洗濯やらには、もううんざりだよ。窓辺に座ってただぼんやりしていたいね。彼は詩を書いた。

おしっこ臭いおむつにはうんざりした。
洗濯、また洗濯にも。
ぼんやりと窓辺に座っていたい。なんにもない窓の外を
ただ眺めていたい。

ドナルド、あなたはほんとに素晴らしいわよ、と私は言った。あなたのことをずっと忘れないわ。だからあなたも私のことをずうっと覚えていてね。

そんなこと言ったって無駄さ、とミセス・ラディーは言った。自分のばあちゃんのことだってもう思い出せないんだからね。あんな人にはちょっとお目にかかれないよ。悪い言葉がその口から出てきたことなんて一回もないんだから。

覚えているよ、ちゃんと覚えてるさ。ばあちゃんはベッドに寝ていた。そこのベッドに。戸口に男の人が立っていた。ばあちゃんは言った、エスドラス、お前を呪う。明日になればもっとひどいことになるって。どうしてあんなことを言ったんだろうね？ゴモラだよ。それはゴモラのことを言ったんだと思うね。ばあちゃんは聖書のことなら隅から隅まで知っていたからさ。

おばあさんは、ここに一緒に住んでいたの？

いいや、いいや、尋ねてきてただけさ。あたしたちみんながどうしているか、様子を見にきたんだよ。子どもたちが元気でやっているだろうかってさ。ニューヨーク見物も兼ねてね。でもここに来て、ちょっと横になって、そのまま死んでしまった。年だったからねえ。

私は何も言わなかった。母親の死んだ話だ。ミセス・ラディーは思慮深げな顔で私を見た。そして言った。

あたしの母親はいろんな話をしてくれた。それを聞きながら育った。母さんの母親はまだちびで、何もわからなかった。小屋の戸口に一日じゅう立って、親指をしゃぶっていた。まだ奴隷制があった頃の話さ。ある日、若い畑働きの男がすっ飛んできた。そして最初の小屋のドアを叩きながら、大声で怒鳴った。シスター、出てこいよ、自由になったんだぞ！彼女は出てきた。彼女は言った、そうなの？いつ？彼は言った、今だよ！今オレたちは自由なんだ！それから彼は隣の小屋のドアを叩いて、言った。

シスター、自由だぞ！　今自由になった！　彼は叫びながら、小屋から小屋へと走っていった。シスター、オレたちは今、自由になったんだ！

うん、僕もその話は覚えてる、とドナルドは言った。今、自由になったんだ！　今、自由になったんだ！　彼はそう言いながらぴょんぴょん飛び跳ねた。

お前はなんにも覚えちゃいないんだよ。さあエロイーズを連れておいで。あの子はお楽しみをやりたがっているんだ。

エロイーズは二歳だったが、体は小さかった。生まれたときから小さかったのさ、とドナルドは言った。エロイーズのためにアイスクリームと緑色の野菜を買ってやっても、ミセス・ラディーは何も言わなかった。彼女はケールとトウヂシャが出てくるのを待っていたけれど、時期がまだ早すぎた。ケールは寒い季節のものなのだ。あんたは十一月にはここにはいないよね、と彼女は言った。いないわよ。私は顔を背けた。寂しさが私の心に触れ、エロイーズの歌を歌わせた。

エロイーズは蜂が好きだ
わんわんと
エロイーズそっくりにないている蜂のことを。

それからエロイーズはささくれだった木の床を、大声でわんわんとなきながら歩きまわった。

まったくいかれた赤ん坊だよ、とドナルドが言った。わんわんわんわん。

ミセス・ラディーは窓辺に座った。

お前たちはみんな、ほんとにうるさいんだよ、と彼女は悲しみをこめた声で言った。ちっとも静かにしていることができないんだ。

翌朝、ミセス・ラディーは私を起こした。

今が潮時だ、と彼女は言った。

何ですって？

うちに帰るんだ。

何のこと、と私は言った。

あんたの甘やかされた息子たちが、あんたがいなくて寂しがっているとは思わないのかい？ ママはどこだってさ。子どもたちは窓辺に立っているよ。そろそろ出ていくときだよ。ここは無料休暇村じゃないんだ。あたしたちもそろそろあたしたちだけになってもいいし。

でもさ母さん、とドナルドが言った。この人、そんな邪魔にならないじゃないか。さあエロイーズを連れてきな、わめいてるじゃないか、と彼女は怒鳴りつけた。それから余計な口はきくんじゃないよ。

彼女は私にコーヒーを勧めてもくれなかった。終始厳しい目で私の顔を見ていた。こっちも厳しい目でにらみ返してやろうと試みたのだけれど、でもそれはうまくいかなかった。というのは私は彼女の姿を憎むことができなくなってしまっていたからだ。

ドナルドは涙目になっていたが、実際にドアの外に出ていくぎりぎりのときまで、つらくて彼の顔を見ることができなかった。そしてそのときだって、私は彼の頭のてっぺんに少し強すぎるキスをしただけだった。そして言った、じゃあまたね。

正面玄関の階段では昼前の井戸端会議が開かれていた。六人くらいの子連れ主婦が集まって、誰がどの窓から生ごみを落としたのかということについて言い争っていた。みんなはお互いに対してものすごくアタマにきているようだった。

かっこいいアフリカ民族衣装を身にまとった二人の若者が、通りの角のところで頷きあいつつ、論議を交わしていた。彼らは見解を配分していた。白人女はどうして歯がぼろぼろなのか。そしてどうしてあんなに老けこんでいるのか。信号待ちをしていた一人の女が言った、しいっ。

私は彼らの脇を通り抜け、オーシャン・パークウェイ沿いのどこかに道路が開けているあたりまでは、走りだすのを控えた。最初のうちはいささか体がこわばっていた。というのは、しばらくのあいだろくに体を動かさなかったからだ。せいぜいナイフやポットを、赤ん坊の手の届かないところに置くために体を伸ばすくらいのことしかしていなかった。私は十ブロックか十五ブロック走った。それから息が整ってきた。これはランナーたちのあいだでよく知られている昔ながらの有名な「第二呼吸《セカンド・ウインド》」だ。まるで体に羽がはえたような気持ちになる。

私が部屋の中に閉じこもっていた三週間ほどのあいだに、ジョギングはすっかり人気スポーツになっていた。私としてはただ自分のやりたいことをやりたいようにやっていただけなのだが、アメリカにおけるたいていのエキセントリックな行為がそうであるように、はっと気がついたら今、いちばん「かっこいい」ことをやっていた、というわけだ。たとえば二人の男性がほぼ一マイルにわたって、私の隣を並んで走っていた。二人は口もきかずに私の横を走って、それからHアヴェニューでどこかに曲がっていった。二人は口ひげをはやした男性が一人、反対方向からよたよたとやってきて、手を振った。彼は声をかけてきた。ハイ、セニョーラ。

家に近づいて、私は公園の中を走り抜けた。週末や夏の終わりの午後には、ここによく子どもたちを連れてきたものだった。私はノースイースト・プレイグラウンドで歩を止めた。そこで私は、手際よく子どもの相手をしている、一ダースばかりの若い母親たちに出会った。彼女たちにそれなりの心がまえをさせるために（悪意はないのだけれど）、私は言った。あなたたちも、あと十五年ほどすれば、みんな私と同じようになるのよ。何もかもを間違えてしまうのよ。

家に戻った。土曜日の朝だ。ジャックは既に戻っていたが、あいかわらず苦虫を嚙みつぶしたような顔をしていた。でも彼は現金と電気掃除機を持参していた。コーヒーを沸かしているあいだに、彼はリチャードにその使い方を教えた。彼らは壁のほこりの上に線を引いて三目ならべをしていた。

リチャードが言った。やあやあ、誰かと思えば！　おかえり！

何かあった？

父さんから手紙が来ていた、と彼は言った。チリの湖沼地帯からね。まるでミネソタみたいだって書いていた。

あの人はミネソタに行ったことなんてないわよ、と私は言った。アンソニーはどこなの？

ここにいるよ、と言ってトントが顔を見せた。ちょうど出ていくところなんだけどさ。

そうなの、と私は言った。当然よね。毎週土曜日の朝には、彼はあわてて朝御飯をかきこむか、あるいはぜんぜん食べないかのどちらかだ。彼は施設にいる友人たちのところを訪れるのだ。どれも有名なところだ。ベルヴュー、ヒルサイド、ロックランド・ステート、セントラル・アイスリップ、マンハッタン。訪問は一日がかりのものになるし、場合によっては帰りが夜遅くになることもある。

食品棚にチョコレート・チップのクッキーを少し見つけた。これを持っていきなさいよ、トント、と私は言った。彼の友人たちのことをほとんど全員、小さな男の子たち、女の子たちとして、私は記憶している。彼らはいつもぴょんぴょんとんだり跳ねたり、スキップしたり、クッキーをかじったりしていた。トントは嫌そうな顔をした。いらないよ、と彼は言った。チョコレート・クッキーなんて売店に腐るほどあるんだよ。それより現金だったらいいんだけどさ。ジャックは掃除機を落とした。彼は言った、冗談じゃない！　彼らにはちゃんとそのための親がいるんじゃないか。

私は言った。ほら五ドルあげるわ。みんなに煙草でも買ってあげなさい。一人あたま一ドル。

煙草だって！　とジャックが言った。冗談じゃないよ！　肺を真っ黒にして死んでいくんだ！　癌だ！　肺気腫だ！　彼は肩で息をしながら、足音も高く台所を出ていった。そして裏の部屋から自転車を出してきて、セントラル・パークに向かった。公園には車は入れないけれど、自転車なら入れるということだ。彼が出ていった十分ばかりあとでトントが言った。ほんとはね、あそこがオープンになっているのは日曜日だけなのさ。

なんでそのことを教えてあげなかったのよ？　なんであの人に対して親切にできないの？　私はそう尋ねた。そういうのって、私にとってはすごく大事なことなのよ。

ああフェイス、と彼は言った。そして私の頭をぱたぱたと叩いた。というのは彼のほうが私より背が高くなっていたからだ。空気だよ。彼の肺のためには空気が大事なんだ。あの筋肉を見てみなよ！　すぐに帰ってくるさ。

あなたも自転車に乗ればいいのに、と私は言った。ふにゃふにゃの脚になりたくないでしょう。週に一度は水泳にも行くべきよ。

僕は忙しくてね。友だちにも会わなくちゃならないしさ。

それから自分のベッドの下に掃除機をかけていたリチャードが台所に入ってきた。まだいたのか、トント。

今行く、すぐ行く、ほら、行っちゃった、とアンソニーは言った。

いいかい、ここに手紙がある、とリチャードは言った。ジュディーあてのものだ。ロックランドまでたどりつけたら、忘れずにこれを渡してくれ。封を開けるんじゃないぞ。中身を読むんじゃないぞ。と言ったところで、どうせ読むんだろうけどさ。

アンソニーはにこっと笑って、ドアをばたんと閉めた。

少しやせたように見える？　と私は尋ねた。イエスとリチャードは答えた。なかなかすっきりしたよ。前がそんなにひどいということもなかったんだけどね。でもどこに行っていたんだい？　ラフタリーのボイルド・ポテトにはいいかげん飽きちゃったよ。どこにいたんだよ、フェイス。

それがね、と私は言った。なんとなんと、私はこの数週間、昔のアパートメントで暮らしていたのよ。おばあさんとおじいさんと私とホープとチャーリーが、まだ小さいときに一緒に住んでいた部屋に。ずっと前にそこにあなたを連れていってあげたことがあるわよね。海からそんなに遠くじゃなくて、太陽と新鮮な空気がふんだんにあったおかげで、私たちはみんな元気に育った。

いったい何の話をしてるんだい、とリチャードは言った。ぜんぜん筋がとおってないね。

アンソニーはその夜、思っていたより早く帰ってきた。というのは何人かはショック療法を受けていたし、別の一人は姿をくらましていたからだ。彼はしばらく私の話を聞いていた。それから言った。母さんが何の話をしているのか、僕にもかいもくわかんないね。

ジャックにも話は通じなかった。留守をしていたあとでは、心が温かくなって、相手の気持ちがわかるようになることがしばしばだが、それでも駄目だった。彼は言った、もう一回話してごらん。彼は機嫌が良かった。なんなら二回話したっていいぜ。

私は話をもう一度くり返した。彼らは口を揃えて言った、何だって？

何故なら、物事は普通、そんなに簡単ではないからだ。いまどきそんな話はあまり耳にしないでしょう？　中年の熱いエネルギーを内に抱えた女が走りまくっている。彼女は自分がかつて子ども時代を過ごした家と通りを見つける。彼女はそこで暮らす。彼女は学ぶ。次にいったい何がやってこようとしているのかを。まるでまだ子供でありつづけているかのように。

グレイス・ペイリー、温かく強いヴォイス

村上春樹

グレイス・ペイリーは現存している中で、もっとも留保のない敬意を受けているアメリカ人作家の一人であると言って、間違いないと思う。この人にはとくに熱狂的な女性読者が数多くついている。僕（村上）は数年前に一度、ニューヨークのマンハッタンでおこなわれた彼女の朗読会を聴きにいったことがあるのだが、広い会場はぎっしりと満員で、その聴衆のほとんどは女性だった。年齢はまちまちで、二十歳くらいの女子学生から、おばあさんまで、さまざまな年代に属する女性が会場につめかけていた。かなりの熱気である。実を言えば、僕はそこまでの熱気を予期していなかったので、シートに腰を下ろしながら、いささかの感銘を受けることになった。というのは、その時点で、彼女はもう十年近く新しい本を出版していなかったからだ。

ペイリーは一九二二年生まれなので、当時はもう七十代半ばになっていたのだが、明

瞭な、よく通る若々しい声で、いくつかの自作短篇をてきぱきと読み上げていった。小柄で、髪は雪のように真っ白だが、眼光鋭く、「矍鑠《かくしやく》」ということばがぴったりとくる。いくつかの大学で創作を教え、政治的な集会などでも話しなれているせいか、朗読はずいぶん手慣れたもので、声の抑揚のみならず、目の表情が多くを語り、ところどころで聴衆の笑いを誘ったり、あるいはまた水を打ったように場内を静まり返らせたりしていた。会場の空気は親密そのもので、そこにいるみんなが彼女の声に熱心に耳を傾け、彼女の物語とともに心をうねらせている雰囲気が肌に伝わってきた。

もっとも彼女の小説は、かなり多くの部分が、癖のある、場合によってはいささか「難解な」文体によって成り立っているので、僕がいくら真剣に耳を澄ませても、彼女が読み上げるスピードに合わせて物語の筋を追うのは簡単ではない――というか、ほとんど不可能に近かった。しょうがないから、途中から筋を追うのはあきらめて、彼女の声の響きと、イントネーションと、その自然な流れ――この人の文章はとにかくリズムがいい――のようなものを、じっくりと味わっていた（それでも、彼女が作品を読み上げる声は、今でも僕の耳に鮮やかに残っていて、この翻訳をするにあたっても、そのヴォイスは多くの局面で僕を助け、方向性を与え、励ましてくれることになったのだが）。

聴くだけではなく、文章のほうも一度二度読んだくらいでは、なかなか内容が理解できない場合が多かった。実際、僕がペイリーの本を訳しているのだと言うと、多くのアメリカ人から「彼女のあの癖のある文章が日本語に訳されるなんて、ちょっと信じられないね」というようなことを言われた。アメリカ人にとっても、そんなに簡単にすらっと呑みこめる文体ではないようだ。とくに彼女は物語を書きながら、意識の流れに合わせて、話をあっちにやったり、こっちにやったり、自由気ままにシフトさせることが多いし、ツボに来ると独特のカラフルな詩的表現方法をめいっぱい「駆使する」ので、翻訳にあたってはずいぶん深く考えこまされることが多かった。ついた溜息の数も多かった。はっきり言って、僕の手にあまるところも多く、もし畏友・柴田元幸氏の協力がなかったら、とてもここまではこぎつけられなかっただろうと思う。

じゃあ、なんでそんなややこしいものを、わざわざ手間暇かけて翻訳しなくちゃいけないのかと疑問に思われる方もいらっしゃるかもしれない。あるいはまた、この七十代の（僕とはちょうど一世代違う）、フェミニストにして社会運動家、ユダヤ系伝統文化に強く傾倒する、政治意識の強い女性作家と僕とのあいだに、いったいどのような共通点があるのかと首をひねられる方もいらっしゃるかもしれない。共通点は、正直に言って（少なくとも現実的な側面においては）、ほとんどないと思う。もうひとつ、なぜ僕が訳すかという点については、「何はともあれ自分の手で訳さずにはいられなかったから」と答えるしかない。これは僕がレイモンド・カーヴァーの作品を初めて読んだときに感じたのとほとんど同じ感情である。

グレイス・ペイリーの物語と文体には、いったんはまりこむと、もうこれなしにはいられなくなるという、不思議な中毒性があって、そのややこしさが、とにかくびりびりと病みつきになる。ごつごつとしながらも流麗、ぶっきらぼうだが親切、戦闘的にして人情溢れ、即物的にして耽美的、庶民的にして高踏的、わけはわからないけどよくわかる、男なんかクソくらえだけど大好き、というどこをとっても二律背反的に難儀なその文体が、逆にいとおしくてたまらなくなってしまうのである。とくにその文体は彼女のまぎれもないシグネチャーであり、真似しようと思っても（そんなことを考える人が実際にいるとも思えないが）、誰にも真似することのできないものだ。

当然のことながら、翻訳された日本語の文体に、どの程度までオリジナルの文体の「難儀さ」を残すかということが大きな問題になってくるわけだが、とにかく「物語をすらすらと淀みなく追える」くらいにはしようというのが、僕の設定したいちおうのスタンダードだった。これは主に朗読会における作者の声のリズムと、聴衆の反応のスピードを念頭において設定した。難解な原文だから難解なままでいいのだ、という考え方もたしかにあるだろうし、それを否定するものではないが、小説はそもそもが生き物なのだし、文章を淀ませて、物語の勢いを殺すことだけは避けなくてはならないだろうというのが、翻訳者としての僕の一貫した基本方針である。

とはいっても、原文には九八パーセントまで忠実に寄り添って訳したつもりだ。ただ残りの二パーセントのところに、僕なりの「基本方針」を適用した。たとえば訳注をふりだすと、それこそページが訳注だらけになってしまうので、なるべく文章の中にその意味あいを自然に織りこむようにした。それから英語的表現によってしか理解することがでぎない言語的に微妙にくねった部分を（たくさんあるのだ、また、それが！）、その雰囲気を残したままべつのかたちに置き換えた。そして何よりも、生き生きとしたオリジナルの文章のリズムを維持することを最重要事項とした。ペイリーの小説はきわめてインテリジェントなものではあるけれど、決して少数のインテリ読者を対象に書かれたものではないからだ（ああ、この宿命的な二律背反！）。

それでもやはりところどころ読みにくい部分があるかもしれない。しかし――言い訳するのではないが――それこそがグレイス・ペイリーの真骨頂であり、僕がたまらなく惹きつけられた部分なのだということを理解していただければと願っている。「なんだこれは？」というところがあっても、じっくり読んでいただければ、ペイリーが無駄な装飾や、凡庸な表現や、安っぽいギミックを排除した、素晴らしい文章家であることがきっとおわかりいただけると思うし、そのようにして一人でも多くの方にペイリーの中毒になっていただきたいと、僕としては、心からのぞんでいるのである。

ペイリーは一九二二年にブロンクスに生まれた。両親は二十世紀の初頭に、帝政ロシアの圧制を逃れてアメリカにやってきたユダヤ系の移民である。もちろん最初のうちは生活は楽ではなかったが、父親は苦学の末に医師の資格を得ることができた。とはいっても、裕福なエリート家庭というわけではなく、住民の大半をユダヤ系第一世代がしめる下町の庶民的な環境で（そこではイディッシュ語と英語がほとんどちゃんぽんで使われている）、彼女は自由で活発な少女時代を送ったようである。幼い彼女を取り囲んでいた、俗語による勢いのある会話が、後年の彼女の文体に色濃い影響を残している。

僕は朗読会のあとでペイリーさんと会って少し話をしたのだが、いかにもさっぱりとしたきさくなおばさんという感じで、お上品な東部の「女流作家」というイメージからはかなり遠い。「あ、そう、あなたが翻訳してくれるんだ。ふうん、がんばってよね」と言って、持参した本にサインをしてくれた。伝説的な作家だとか、オーラがどうこうというようなところは、まるでない人だ。

前述したように徹底的に寡作な人で、小説に関して言えば、一九五九年に最初の短篇集“*The Little Disturbances of Man*”を発表したあと、現在までに全部でたった三冊しか本を出していない（すべて短篇小説集。そのほかに詩集を三冊出してはいるけれど）。一九七四年に発表された“*Enormous Changes at the Last Minute*”と、一九八五年に発表された本書“*Later the Same Day*”である。なにしろ四十年間に三冊しか小説を出版しないで、しかも年を追うごとに文名ますます高くなるというような例は、どれだけ見まわしても、ペイリー以外にちょっと思いつかない。アメリカ文学シーンにおける「生きた伝説」と言っても差し支えないだろう。もっとも先にも述べたように、「伝説」と呼ぶにはペイリーさんはどうにも健康的で活動的すぎるので、その言葉は深い隠遁の中にあるJ・D・サリンジャー氏のためにとりわけておくべきかもしれないが。

　ペイリーはこれまでの人生において、政治運動、社会運動に積極的に関わってきた。社会主義（あるいはコミュニズム）的色彩の濃い第二次大戦中の反ファシズム闘争から、五〇年代のマッカーシイズムとの攻防、六〇年代の公民権、ヴェトナム反戦運動、そしてフェミニズム、エコロジー、反核運動と、彼女の人生はまさに休みなき闘いの連続であった。そのような政治信念は彼女の精神性の太いバックボーンになっている。東部ユダヤ系リベラル知識人の典型と言いたいところだが、それほど簡単ではない。彼女の立場は「典型」より更にストレートにタフであり、同時に温かくて懐が深いところがある。彼女は自分の立場を、「かなり戦闘的な平和主義者であり、ものわかりのいいアナーキスト」であるとユーモアたっぷりに説明している。この説明はとてもわかりやすい。彼女の作品を読めば、そのへんのちょっとはぐれたおかしさ（ユーモアはペイリーの強力な武器のひとつである）はよくわかっていただけるのではないかと思う。このユーモアの感覚があればこそ、ペイリーは昨今の薄っぺらな政治的コレクトネスとは、厳然とした一線を画することができているのである。

　もっとも彼女は、現実的な政治運動に時間をとられすぎて、結果的に小説を書く暇がなくなってしまったことを自ら認めている。書こうとしていた念願の長篇小説も、今のところ棚上げ状態になっているということだ。彼女は言う、「芸術はあまりにも長く、人生はあまりにも短い。人生には小説を書く以外にも、やるべきことがたくさんあるのよ」。たしかにそうかもしれない。人は自らの人生を、心に偽りなく十全に生きるべきものなのだろう。しかし彼女の小説を愛するものにとっては、これはいささかさびしい事実であると言わざるをえないこともたしかだ。新しい小説はもう発表されないのだろうか?

本書を読んでいただければおわかりになると思うが、ペイリーの短篇小説には二つの主な流れがある。ひとつは「フェイスもの」で、ここではペイリー自身をモデルにした、フェイスというユダヤ系の中年女性が主人公になっている。彼女には社会主義者であったタフな両親がいて、クールでリアリスティックな兄のチャーリーと妹のホープがいて(彼らはフェイスよりずっと安定した社会的立場にいる)、リチャードとアンソニー(トント)というなかなか言うことをきかない生意気な二人の息子がいる。夫のリカルドは生来の女好きで、いつの間にかよそに女を作って家を出ていってしまい、フェイスはそれ以来女手ひとつで、ふうふう言いながら二人の子どもを育ててきた。きさくで活動的で、いくぶん寂しがり屋の彼女には多くの女友だちがいる。そんな友だちや家族を登場人物としてニューヨークの下町を舞台にカラフルな物語宇宙が展開していく。それは決して大きな宇宙ではない。しかしそこには多くの温かい血が、どきどきと脈打っている。

それらの登場人物の一人ひとりが、素晴らしく生き生きと描かれていることに、多くの読者は感心されることだろう。

もうひとつは「同時代的民間伝承」とでもいうべき系譜の作品で、これはおそらくはペイリーがどこかで目撃したり、誰かから直接話を聞いたり、あるいは新聞で読んだりした事件（社会的事件あるいは個人的事件）を、それぞれに独立した物語として叙述したものである。それらのマテリアルのあるものはコラージュのように分解され、再構築され、ひどく短く、ショッキングであり、シュール・リアリスティックでさえある。またあるものは長い独白となっている。そのような物語の採集者としてのペイリーの視線はきわめて低く、鋭く、知的であり、また弱者に対する静かな共感性を含んでいる。そこに、旧世界から持ちこまれた「語り部」という民族的伝統性を見いだすことも可能であろう。

この二つの流れがうまくブレンドされ、ペイリーの独自にして不思議な世界がかたちづくられているわけだが、これはまことにオリジナルというか、とにかくペイリーにしかつくれない世界であり、ペイリーにしか書けない文章である。文学理論や文芸ファッションとは一〇〇パーセント無縁である。この世界とこの文章が、誰にでもすらりと受け入れられるとは思わないが（言うまでもなく、それにはいささかの顎の強さが必要とされる）、受け入れることのできる読者には、きっと強く深く受け入れられることだろう。

彼女のあと二冊の短篇集もこのあと僕（村上）が訳出するつもりでいるので（けっこう時間はかかりそうだが）、続けて読んでいただければと願う。

一九九九年三月

＊二〇〇五年六月、“*The Little Disturbances of Man*”が『人生のちょっとした煩《わずら》い』として文藝春秋から出版されました（編集部）。

単行本　一九九九年五月　文藝春秋刊

文春文庫

最後《さいご》の瞬間《しゆんかん》のすごく大《おお》きな変化《へんか》

定価はカバーに表示してあります

2005年7月10日　第1刷
2017年12月15日　第7刷

著　者　グレイス・ペイリー
訳　者　村《むら》上《かみ》春《はる》樹《き》
発行者　飯窪成幸
発行所　株式会社 文藝春秋

東京都千代田区紀尾井町 3-23　〒102-8008
TEL 03・3265・1211(代)
文藝春秋ホームページ　http://www.bunshun.co.jp

落丁、乱丁本は、お手数ですが小社製作部宛お送り下さい。送料小社負担でお取替致します。

印刷製本・凸版印刷
Printed in Japan
ISBN978-4-16-766199-1

（　）内は解説者。品切の節はご容赦下さい。

村上春樹
TVピープル
「TVピープルが僕の部屋にやってきたのは日曜日の夕方だった」。得体の知れないものが迫る恐怖を現実と非現実の間に見事に描く。他に「加納クレタ」「ゾンビ」「眠り」など全六篇を収録。
む-5-2

村上春樹
レキシントンの幽霊
古い館で「僕」が見たもの、いや、見なかったものは何だったのか？　表題作の他「氷男」「緑色の獣」「七番目の男」など全七篇を収録。不思議で楽しく、底無しの怖さを感じさせる短篇集。
む-5-3

村上春樹
約束された場所で
underground 2
癒しを求めた彼らが、なぜ救いのない無差別殺人に行き着いたのか。オウム信者、元信者へのインタビューと河合隼雄氏との対話によって、現代の心の闇を明らかにするノンフィクション。
む-5-4

村上春樹
シドニー！
①コアラ純情篇
②ワラビー熱血篇
走る作家の極私的オリンピック体験記。二〇〇〇年九月、興奮と熱狂のダウンアンダー（南半球）で、アスリートたちとともに過ごした二十三日間——そのあれこれがぎっしり詰まった二冊。
む-5-5

村上春樹
若い読者のための短編小説案内
戦後日本の代表的な六短編を、村上春樹さんが全く新しい視点から読み解く。自らの創作の秘訣も明かしながら論じる刺激いっぱいの読書案内。「小説って、こんなに面白く読めるんだ！」
む-5-7

村上春樹・吉本由美・都築響一
東京するめクラブ　**地球のはぐれ方**
村上隊長を先頭に、好奇心の赴くまま「ちょっと変な」所を見てまわった、トラベルエッセイ。挑んだのは魔都・名古屋、誰も知らない江の島、ゆる～いハワイ、最果てのサハリン……。
む-5-8

村上春樹
意味がなければスイングはない
待望の、著者初の本格的音楽エッセイ。シューベルトのピアノ・ソナタからジャズの巨星にJポップまで、磨き抜かれた達意の文章で、しかもあふれるばかりの愛情をもって語り尽くされる。
む-5-9